MŒBIUS 113

Mœbius 113

printemps 2007

Comité de direction : Nicole Décarie, Robert Giroux, Lysanne Langevin, Brigitte Mackay, Raymond Martin.

Illustration de la page couverture : Raymond Martin
Illustrations : Dessins de Michel Côté extraits de son recueil de poèmes *Jouer dans l'être*.

Mise en pages : Raymond Martin
Dépôt légal, Bibliothèque nationale du Québec et Bibliothèque nationale du Canada, 2ᵉ trimestre 2007.

ISSN 0225-1582
ISBN 13 : 978-2-89031-594-5

Les textes soumis à la revue ne seront retournés que s'ils sont accompagnés d'une enveloppe affranchie. La revue ne saurait endosser la responsabilité du contenu des textes qu'elle reproduit.

Mœbius est subventionnée par le Conseil des Arts du Canada, le Conseil des arts et des lettres du Québec, le Conseil des arts de Montréal et Patrimoine canadien (programme FCM). Nous reconnaissons l'aide financière accordée par le gouvernement du Canada pour nos coûts de production et nos dépenses rédactionnelles par l'entremise du Fonds du Canada pour les magazines.

Mœbius est membre de la Société de développement des périodiques culturels québécois.

Mœbius est distribuée au Canada par Dimedia,
en Europe par la Librairie du Québec à Paris (D.N.M.)
et ailleurs dans le monde par Exportlivre.

Mœbius paraît quatre fois l'an.

Mœbius
2200, rue Marie-Anne Est
Montréal (Québec)
H2H 1N1 Canada

Tél. : 514-597-2335
Courriel : triptyque@editiontriptyque.com
Site Internet : www.triptyque.qc.ca

Canada

Conseil des Arts du Canada   Canada Council for the Arts   Québec

S O M M A I R E
Mœbius   113

Présentation

La revue Mœbius *a déjà 30 ans !*

Ça ne rajeunit personne, nous en convenons. Pourtant *Mœbius* se porte très bien. Ceux qui la fréquentent depuis longtemps pourraient témoigner de sa vitalité, de sa capacité de renouvellement. Ne serait-ce que depuis cinq ans (pourquoi n'allez-vous pas lire le cahier commémoratif que nous avons produit en 2002 pour nos vingt-cinq ans de fondation ?), en effet, nous avons maintenu ce qui nous apparaissait caractéristique d'une revue thématique comme la nôtre, tout en lui ajoutant des rubriques nouvelles, notamment le « Texte en mémoire » ou encore la « Lettre à un écrivain vivant », deux rubriques qui semblent beaucoup intéresser les lecteurs à en juger par leurs commentaires et par les nombreuses propositions d'y participer que nous recevons à nos bureaux.

Le « Texte » consiste à reproduire un écrit ancien d'un écrivain connu et à le faire apprécier par un autre écrivain à la lumière des écrits qui ont été publiés par la suite et qui ont permis de constituer une œuvre. Par exemple, François Charron se penche sur des poèmes de Suzanne Jacob. La « Lettre » vise plutôt à rendre hommage à un écrivain que nous chérissons plus que tous les autres, ou à s'en prendre au contraire à un écrivain dont la réputation nous semble surfaite ; cette « lettre » n'analyse pas, elle parle librement à quelqu'un qui est encore de ce monde pour l'entendre. Par exemple, Geneviève Robitaille s'adresse à Jean Barbe. Pour qui veut rendre compte autrement d'une parution récente, il y a toujours la rubrique « Les yeux fertiles ».

Ceux qui connaissent la revue depuis peu constatent combien son format est sympathique (d'autres revues l'imitent), combien les thèmes choisis sont variés et parfois très près des tendances de l'heure, combien les textes retenus en fonction des thèmes sont de factures très différenciées. C'est que le thème est suggéré, disons imposé, mais son traitement est laissé à la discrétion de l'écrivain, qui nous le rend sous la forme d'un poème, d'un court récit, d'un texte de réflexion, tout en sachant que la revue est d'abord et avant tout une revue de fiction(s) littéraire(s), avec le risque ici d'avancer une tautologie. Le lecteur constate aussi que des apprentis totalement inconnus côtoient des écrivains chevronnés, pour la bonne raison que *Mœbius* a toujours misé davantage sur l'intérêt du texte, sa voix, que sur sa signature. La revue ne porte-t-elle pas en sous-titre, vous l'aurez remarqué, « écritures » (avec son pluriel) et « littérature » (avec, bien sûr, son singulier)! Cette position idéologique a toujours eu son importance chez les membres des équipes qui se sont succédé au cours des trente années d'existence de la revue. Loin de nous l'idée de vouloir faire école. Et d'ailleurs, ce n'est pas nous qui faisons d'untel un écrivain et de son texte un texte recevable par les définisseurs de ce qui est littéraire. D'autres s'en occupent qui se reconnaîtront. L' « Index » général que nous avons constitué récemment reflète parfaitement cette réalité, en plus de fournir un bref historique de *Mœbius* et une modeste tentative de regrouper et d'interpréter les différents thèmes retenus au cours des « époques ».

L'intérêt pour les thèmes est devenu si grand que nous allons abandonner notre numéro annuel hors thème, celui que nous appelions notre QV (cuvée) annuelle et qui paraissait tous les mois de février. Cette cuvée était constituée des meilleurs textes retenus par le comité de lecture parmi la montagne de textes hors thème que nous recevions pendant la mise en chantier des derniers numéros de l'année. Il fut un temps où cette cuvée était un formidable creuset d'écritures, un creuset que la rigidité ou la restriction thématique des numéros risquait de reléguer aux oubliettes. Un numéro thématique se trouve sous la responsabilité d'un pilote sur qui nous nous « reposons » pendant son élaboration. Un numéro QV nécessite toutefois l'attention (lecture, sélection, classification) et l'énergie de toute l'équipe qui se doit d'honorer la masse de textes non sollicités qu'elle reçoit au cours de l'année. Depuis quelque temps, ces textes non sollicités sont encore plus nombreux et de moins en moins intéressants ; cette prolifération de textes est symptomatique du besoin évident des gens de s'exprimer, de raconter, de témoigner, de multiplier la copie…; la revue ne peut qu'être honorée de l'importance qu'on lui manifeste en lui confiant ses écrits, et elle l'assume, mais dans l'ensemble ces textes se ressemblent de plus en plus, ils sont portés par une même voix narrative, le plus souvent celle d'un récit de vie, un drame, une histoire de famille, sans grande originalité de style, sans nécessité, sans voix. Ce qui n'arrange rien, l'équipe est débordée et a du mal à créer un « bon » numéro. Sachons reconnaître nos forces et nos faiblesses.

Pour pallier cette petite fermeture volontairement provoquée, nous valoriserons davantage, en toute logique, le Prix de la bande à *Mœbius*. Ce dernier honore le meilleur texte paru dans la revue au cours de l'année. Un jury est donc constitué, ses trois membres lisent les textes des quatre derniers numéros, retiennent trois finalistes, qui deviennent automatiquement abonnés, puis un heureux lauréat à qui nous remettons la somme de 300 $, un abonnement d'un an à la revue et la possibilité de lire publiquement son texte lors d'une petite soirée organisée en son honneur. Par exemple Patrick Nicol avec *Ma cousine, la première* (numéro 96) ou Carmen Strano avec *Berlin, 27 avril* (numéro 107).

Mœbius fête ses trente ans. Les Éditions Triptyque aussi, avec lesquelles la revue fait tandem depuis ses débuts. Pour la circonstance, la revue a décidé de lancer un numéro qui porte sur « la trentaine ». L'idée peut sembler anodine, mais elle ne l'est qu'en apparence. En marge de cet événement factuel, la trentaine n'est-elle pas une période charnière dans la vie de tout être humain normalement constitué, le pivot sur lequel surgissent les espoirs de tous les recommencements ? Et n'est-elle pas déjà, aussi, une belle jeunesse qui petit à petit prend de l'épaisseur, qui n'est plus l'âge tendre de la désinvolture, mais qui trace les avenues fondatrices de ce que sera l'âge mûr ?

Trentaine que pourra ! Bien des sottises ou des approximations sont engendrées à son propos. Oscar Wilde affirmait, paraît-il, qu'il faut quarante-cinq ans à une femme pour atteindre la trentaine. « C'est à trente ans que les femmes sont belles », déclarait Jean-Pierre Ferland dans une chanson célèbre. C'est aussi le temps de porter un enfant (avant que l'âge ne soit trop avancé), d'acheter une maison (s'endetter pour trente ans !), de se positionner, si possible, ou de se projeter dans des causes plus altruistes que celles qui nous faisaient carburer à vingt ans, l'âge où le corps aime faire de l'esprit, en souplesse encore, tirant la libido du côté de...

Une méditation sur le temps, bien entendu, comment y échapper ? Une méditation sur la jeunesse qui court vite se cacher derrière notre dos, les cheveux qui grisonnent déjà ou qui tombent, les yeux qui tissent leurs fines toiles d'araignée, la voix qui se fait plus profonde, plus ample, les souvenirs qui déjà prêtent leurs images et leurs mots pour signifier l'espace du présent. Le bel âge ! La belle affaire ! Entre le poupon tout rose qui gazouille et la vieille qui joue avec ses poupées de chiffon, l'espace et le temps nous manquent pour marquer au poinçon tous les objets et les sujets que l'on ne voudrait surtout pas se faire dérober par le plus grand et le plus connu des voleurs.

Voilà le thème : trente ans. Ce numéro a-t-il tenu ses promesses ? C'est à vous d'en juger. Plusieurs écrivains ont accepté de répondre à notre invitation, d'autres l'ont décliné. Vous pourrez y entendre des voix fortes ou chuchotées, des confidences, des exhortations, des blagues. L'ordre alphabétique des noms provoque des rencontres et des croisements inattendus de styles, de générations, de préoccupations. Qu'y a-t-il de commun entre Jacques

Julien et Matthieu Simard, Fulvio Caccia et Marie Hélène Poitras, Christian Mistral et Suzanne Myre, Jean Pierre Girard et Luc LaRochelle ? Un débordement, une retenue, un sexe. Merci à tous ceux-là qui s'exposent ici sans filet.

Merci aussi à tous ceux qui ont rendu possible une revue comme *Mœbius*. D'abord aux fondateurs : Pierre DesRuisseaux, Raymond Martin et Guy Melançon, parmi lesquels seul Raymond est toujours là... Ensuite à tous ceux qui y ont laissé des traces : Fulvio Caccia, Marie-Claire Corbeil, François Couture, Nicole Décarie, Danielle Fournier, Dominique Garand, Constance Havard, Sophie Jaillot Bertrand Laverdure, Dominique Marot et, bien sûr, Lysanne Langevin qui est toujours avec nous. Merci également aux organismes subventionnaires dont l'aide est indispensable : le CAC, le CALQ, le CAM, Patrimoine canadien. Non seulement ils permettent aujourd'hui le bon fonctionnement de la revue mais ils engendrent aussi la possibilité de verser des cachets, quoique symboliques en réalité, aux collaborateurs.

*

Notre travail ne s'arrête pas là. De nombreux numéros sont déjà en chantier :

n° 114, *Sécurité et surveillance,* dirigé par Raymond Martin ;

n° 115, *À table !,* sous la responsabilité de Francine Allard ;

n° 116, *Éloge de la marche,* piloté fermement par Lysanne Langevin ;

n° 117, *La passion aujourd'hui,* dirigé par Fulvio Caccia ;

no 118, *La musique ;*

no 119, *La bonté.*

Et surveillez nos activités prochaines, notamment une lecture publique prévue à la Maison de la culture du

Plateau Mont-Royal dans le cadre du Marché francophone de la poésie qui se tiendra à la toute fin du mois de
mai 2007. À l'automne prochain, d'autres activités sont
programmées lors du Festival international de la poésie de
Trois-Rivières, du Festival international de la littérature et
du Salon du livre de Montréal (le dévoilement par exemple du prix de la bande à *Mœbius*).

Robert Giroux

Mathieu Arsenault

Ce qui s'est passé jusqu'ici

Je n'ai jamais voulu être écrivain. J'ai toujours voulu être écrivain. En fait, en fait, en réalité, je pensais jamais que j'allais dépasser vingt ans parce qu'une fois quand j'étais petit j'avais remarqué que je n'avais jamais vu d'adulte qui s'appelait mathieu. Il y en avait bien un avec une barbe dans la flûte à six schtroumpfs qui épuisait les passants à les faire danser pour leur voler leur argent et ça m'avait troublé mais pas assez pour remettre en question l'idée que je ne serais jamais un adulte. Et puis une fois, c'était au secondaire, ils ont demandé d'écrire ce qu'on voulait faire quand on allait être grand. J'ai écrit n'importe quoi, j'ai écrit chanteur et après, quand on me reposait la question, je répondais chanteur parce que c'était moins compliqué que de dire que ça se pouvait pas que je grandisse, que ça se pouvait pas que je sois vieux. Et puis après, une fois, le cégep finissait et il n'était rien arrivé pour faire en sorte qu'il n'existe pas de mathieu adulte et il fallait qu'on s'inscrive à l'université et là je vous jure que j'ai commencé à paniquer sérieux et comme j'étais toujours à la bibliothèque je me suis dit une chose vraiment méchante, je me suis dit tiens je vais m'arranger pour qu'il n'arrive rien pour qu'existe un mathieu adulte, je vais aller le faire étudier dans un domaine où il y a zéro avenir, crève mon sale, tu te débattras comme un noyé pour devenir écrivain, un écrivain expérimental en plus, pas un scripteur, pas un journaliste, un écrivain complètement illisible de la pire espèce, sans concession, sans espoir de succès, sans avenir.

Et alors là, je me suis donné comme un malade, j'ai étudié,mon gars, comme personne avait jamais vu ça, des jours, des soirs et des nuits à passer à travers toute l'histoire de la littérature, toute l'histoire de la philosophie, les théorie littéraires, la psychanalyse, la rhétorique, artaud, kafka, toujours en me disant ça va bien s'arrêter, ça va bien finir par s'arrêter cette histoire de vieillir et de devenir adulte et je repensais à la flûte à six schtroumpfs, à mathieu de torchesac qui avait volé la flûte à six schtroumpfs, en paniquant et puis j'ai écrit ma thèse, j'ai soutenu ma thèse, j'ai récrit ma thèse pour qu'elle soit publiée et aujourd'hui, le 27 janvier, il est cinq heures et je suis rendu vraiment au bout de mes recours, je ne suis plus un étudiant, je ne peux plus me cacher derrière l'idée que les étudiants sont des grands enfants, qu'est-ce qu'il me reste qu'est-ce qu'il me reste, je n'ai jamais rien voulu et maintenant que je suis rien, je comprends rien parce que ça continue quand même et j'ai jamais voulu être écrivain, j'ai toujours voulu être écrivain et c'est ça mon histoire, c'est ça qui s'est passé dans ma vie depuis l'âge de cinq ans jusqu'à aujourd'hui, et je lisais comme genre tout le temps et c'était très naturel avant ça au cégep c'était les travaux de physique et de maths et avant ça c'était pas mal du niaisage et maintenant j'ai plus de travaux à faire ou plutôt oui j'en ai, je fais des travaux de fiction littéraire mais c'est tellement plus en-gageant et il y a rien à faire pour avoir la même sécurité que dans les travaux scolaires, tout est toujours nouveau, tout est toujours personnel, tout doit toujours être arraché d'une manière épuisante au vide et au rien, phrase par phrase, ligne par ligne je sens que la bise est venue et je sens que je vais péter au frette avant longtemps parce que les critiques sont plus sévères que n'importe quel prof de lettres et que je sais plus comment me reposer quand je travaille pas sur mes textes, j'ai trente ans, j'ai trente ans et c'est une farce que personne rit parce qu'il faut quand même que je gagne ma vie mais j'ai pas le temps de tra-vailler parce que travailler mes textes me demande un temps infini et quand il m'arrive d'en réussir un, il me rap-porte rien parce que je travaille encore comme un malade pour devenir écrivain, un écrivain complètement illisible de la pire espèce, sans concession, sans espoir de succès, sans avenir et si j'arrêtais tout pour seulement travailler, il existerait effectivement un cas au moins d'un mathieu adulte, mais ça n'existe pas, ça ne peut pas exister et alors c'est tout mon univers mental qui s'effondrerait d'une manière tellement radicale qu'il cesserait alors d'y avoir un cas au moins d'un mathieu adulte et il y aurait de nouveau rien, le silence, le silence, le silence est atroce alors je parle, je crie, je parle à tout prix pour qu'il n'y ait pas le silence, c'est ça qui s'est passé jusqu'ici et ce n'est pas prêt de s'arrêter parce que jamais oh non je ne m'abaisserai à voler des flûtes aux schtroumpfs pour faire danser les pauvres gens jusqu'à l'épuisement et jamais je ne danserai non plus parce que je ne suis pas un mathieu je suis cette sotte cigale déterminée à continuer de chanter quand la bise fut venue, nous ne sommes pas le 27 janvier nous sommes encore à la fin de l'été je crie famine j'écris famine et je récris mes textes jusqu'à ce qu'ils soient les plus beaux, c'est là mon moindre défaut.

Iris Baty

La fêlure

Qu'est-ce qu'on parle ! On est sur le pas de la porte, le chat s'étire sur le tapis. Je sortirais bien dans la tempête, d'ailleurs j'ai la main sur la clenche mais au lieu de sortir, je pose mon sac et m'assois sur une marche. C'est qu'avec Germain, quand on commence à parler, plus rien ne peut nous arrêter. Il y a un an, on s'est trouvé au milieu de tous les autres êtres humains et on ne s'est plus quitté.

Germain a fait son entrée dans ma vie un midi dans le bar où je déjeune. J'en étais au café. Il a posé ses affaires sur l'un des tabourets du bar et j'ai tout de suite vu qu'il n'était pas comme les autres. Il a jeté un regard à la télé au-dessus du comptoir puis il n'a plus quitté des yeux le café qu'on lui servait. Je ne sais lequel de nous deux en est venu à parler à l'autre mais c'est parti comme ça. On s'est retrouvé chaque midi et on a fini par manger ensemble.

Germain est dans les communications mais il déteste son métier. Moi, je suis dans un peu tout à la fois mais toujours dans des bureaux. Je fais mon chemin. On a eu de chouettes conversations ensemble au café, sauf quand Germain devait rester avec ses collègues. Un jour, pour éviter de devoir m'abandonner et parce qu'il se croyait sans cesse épié, il m'a invité à venir déjeuner chez lui.

Sa femme nous accompagnait au début puis assez rapidement elle nous a laissés seuls. Germain pouvait alors parler à son aise : « C'est une bourgeoise. Et moi, j'en ai marre du monde entier ! Je ne supporte plus personne excepté toi et mon chat. Je n'ai personne à qui me confier qui ne me juge immédiatement après. Je ne suis entouré que de gens à la vie étriquée. Ils ne pensent plus. Ils se reproduisent, ils reproduisent leur vide. Où que je pose les yeux, tout est vide ! Et mon métier est de communiquer… du vide. Un comble ! Ça aurait pu être pire, j'aurais pu faire une école de commerce ! Ce qui aurait comblé ma femme, cela aurait rapporté davantage ! Ce que je veux dire, c'est que je n'ai pas eu le choix et je donnerais n'importe quoi pour l'avoir ne serait-ce qu'une seule fois. Il n'y a plus de choix possible dans ce monde car nous n'avons plus de libre arbitre. Presque plus de liberté de penser. Cite-moi encore un espace de liberté ! Un choix qui soit un choix !

— « Eh bien, la présence de ce bar, par exemple. » Et je montrais le petit bar que j'avais offert à Germain et qu'il avait installé dans son entrée, « parce qu'au final, lui avais-je dis, c'est dans ton hall d'entrée qu'on passe le plus de temps maintenant. » Il avait été ému. « Oui, le dernier refuge pour ceux qui ne pensent pas comme tout le monde : un vestibule ! Et pourquoi pas une cave ?! Jusqu'où irons-nous pour pouvoir discuter sans avoir le regard des autres dans notre dos ? » Dernier ? C'était vite dit. Germain ne supportait plus la présence de sa femme à l'étage : « Elle nous épie. Elle ne supporte pas notre complicité ! »

Nos rendez-vous eurent donc lieu dans sa voiture, le soir, dans le parking du parc de la ville, sous les arbres. C'était un lieu agréable, loin de tout, pour un cinq à sept entre deux hommes. Je sentais que la présence des autres devenait de plus en plus pénible pour Germain. Il mettait la radio et il me disait « Écoute ! Écoute ! » C'était des penseurs, des gens qui étaient contre la vie moderne que Germain était obligé de vivre. Il pleurait un peu et même tout à fait. Jamais il n'aurait osé pleurer devant sa femme, devant personne, mais devant moi, il pleurait parce qu'il était fait comme un rat, parce que son « boulot de merde », jamais il ne le quitterait, jamais il n'aurait le courage, parce qu'à personne surtout il ne pouvait dire ce qu'il avait sur le cœur, ce qu'il pensait de tout ça. Il me dit un jour que c'était lui qui m'avait choisi ce jour-là dans le bar. Mais sait-on jamais qui choisit dans une rencontre ? Il poursuivit en disant que le salut ne pouvait pas venir d'en haut et qu'il avait espéré qu'un jour je pourrais faire quelque chose pour lui, moi, l'ami véritable. Lui apprendre le secret pour être heureux. Il me regardait, il attendait une réponse. Mais moi je ne savais pas. J'étais content, voilà tout. Content de m'élever dans mon boulot, de recevoir des primes, content de voir mes parents le dimanche, content du ciel rose le matin quand j'allais travailler, content d'aborder la trentaine… Content aussi d'être avec quelqu'un comme Germain. Ça ne s'explique pas pourquoi il y en a qui sont contents et d'autres pas. Cependant, je voulais l'aider. Je me souviens qu'une fois Germain m'avait prêté des livres de penseurs encore vivants, de ceux qui parlaient dans le poste. Dans les premières pages de l'un d'eux, j'avais trouvé quelque chose et je m'étais dit : « Tiens, voilà la solution pour Germain. » Alors là, comme il allait redémarrer, je lui dis : « Il y a peut-être un moyen. » Il me regarda les yeux écarquillés, la main sur le contact. « Oui, il y a bien… Mais il n'y aura pas de retour en arrière possible et il faudra que tu me fasses confiance pour tout. » Germain avait les yeux de plus en plus écarquillés. J'ai pensé qu'il avait fui assez loin, jusqu'au fond de sa voiture, et que si je ne voulais pas le voir disparaître sous terre, il fallait réagir. Il était sûrement prêt à tout, il voulait son choix. L'essentiel était d'essayer.

J'agis. Je fis ce qu'il fallait. Toutes les démarches. Je versai de l'argent pour ça. La somme n'était pas très élevée. Un soir, enfin, quand tout fut prêt, j'allai dans une cabine téléphonique et appelai Germain. Il décrocha. Quelques heures auparavant, au bar de notre première rencontre, je lui avais dit que c'était pour le soir même, que je l'appellerais et que, quand il recevrait cet appel, il fallait qu'il sorte et se rende directement au parc en voiture. Je voulais qu'en recevant cet appel et qu'en franchissant la porte de chez lui il ait conscience qu'on lui donnait le choix, qu'il agissait, qu'il choisissait pour la première fois et que ce choix allait changer le reste de sa vie. Lorsqu'il eut raccroché, sa femme lui demanda qui c'était, il répondit qu'il s'agissait d'une erreur. De mon côté, je me demandai s'il aurait le cran. Enfin, au bout de dix minutes d'attente et de buée sur la vitre, la porte côté passager s'ouvrit et je le vis apparaître avec un sac de voyage à la main et son man-

teau sous le bras : « On y va, je suis prêt. » Il monta à mes
côtés en silence. Les deux mains sur le volant je fis le vide
et mis le contact. Germain regarda le parc s'éloigner, la rue
puis son quartier, sa ville, sa région, sa vie. Était-il avec
moi ? Contrairement à son habitude, il ne parlait pas. Il
me demanda seulement : « Où va-t-on ? »

— « Tu verras bien. » On roula près de vingt heures
d'affilée. Dans les stations-service, j'allais seul régler les
dépenses pour l'essence et pour la nourriture. Germain
luttait pour ne pas s'endormir afin de voir où le mènerait
ce périple. Enfin vers deux heures du matin il s'abandonna. On passa en Italie vers sept heures. À midi on entra
dans Milan, épuisés.

Je conduisis jusqu'à l'aéroport. Le timing était bon.
Là-bas, dans le grand hall d'accueil, mon contact nous attendait près d'une plante verte. Il nous salua et donna à
Germain une enveloppe : « Vos nouveaux papiers et votre
billet d'avion, aller simple bien sûr. Vous n'avez besoin de
rien d'autre. Vous laissez là votre sac, inutile de partir
chargé. Un de nos hommes vous attendra là-bas pour vous
accueillir et vous prendre en charge les premiers temps. »
L'accent de l'homme était déjà une invitation au voyage.

— Quelle est ma destination ? » Germain sortit son
billet d'avion et lut : Les Philippines ?

— L'avion part dans deux heures.

— Je vais attendre avec toi », lui dis-je. Notre contact
italien sourit : « C'est un ami précieux que vous avez là. »
Germain me regarda, l'œil un peu flou. « Oui. » Notre
homme nous serra la main et fit les dernières recommandations à Germain. Nous allâmes ensuite nous asseoir sur
un banc et après un silence Germain déclara d'un ton où
je décelai de l'inquiétude : « Je ne connais pas les
Philippines.

— Je t'ai pris des guides touristiques à lire dans
l'avion, tu verras, c'est sympa.

— Mais… Je ne te verrai plus.

— Bien sûr que si ! Je viendrai te voir.

— Pourquoi ne pars-tu pas avec moi ?

— Je suis heureux, ici, moi. Tu sais bien que ce n'est
pas pareil… Mais toi aussi, bientôt, tu le seras.

— Heureux, dis-tu ?

— Pas de doute possible !

Germain était courageux ou plutôt tellement désespéré qu'il ne fit pas marche arrière. Je l'accompagnai jusqu'au point de contrôle de sécurité. « S'il y a le moindre problème, je t'ai laissé une adresse e-mail dans le guide touristique, tu pourras me joindre en toute discrétion. » Il hocha la tête et me prit dans ses bras. Son cœur battait à tout rompre, tout comme le mien. Il disparut de mon champ de vision. Je restai là, m'attendant à le voir revenir n'importe quand, puis je patientai jusqu'à ce que le numéro du vol ait disparu des écrans. Alors seulement je retournai à la voiture pour y faire un somme.

À dix-huit heures le réveil de mon téléphone portable sonna. J'émergeai complètement pâteux. Je l'allumai et vis que j'avais quatre appels en absence. Au moment où je le mettais sous tension, il sonna. Je décrochai : une voix familière me demanda : « Alors ? »

— Il est parti. » À l'autre bout du fil, j'entendis une respiration plus forte, un blanc puis un soupir. « Ça me fait bizarre quand même, qu'on se soit quitté fâchés, qu'il ne m'ait pas mieux comprise et surtout… Enfin… Tu rentres bientôt ?

— Demain soir, je vais prendre mon temps.

— Je t'attendrai. Je t'embrasse. Tu me manques. Une nouvelle vie commence pour nous tous. Et tout le monde est heureux, n'est-ce pas ? »

Lorsque je fus de nouveau seul et que la voix de Claire, la femme de Germain, eut cessé de bourdonner à mon oreille, je me mis enfin à réfléchir. Très vite, il s'imposa à moi que j'avais fait le bon choix, il fallait qu'elle fasse partie du plan, qu'elle le laisse partir, qu'elle avance l'argent et qu'elle nous laisse le temps de disparaître sans prévenir les autorités trop tôt. Maintenant il me fallait rentrer. J'avais des sentiments pour Claire. J'avais été touché par son désarroi face à l'état de son mari. Après avoir mangé un morceau je repris la route en sens inverse. Je fis une halte dans un parking et m'endormis.

Lorsque je me réveillai j'avais un nouveau message qui datait d'environ une heure. C'était Claire. Claire qui me disait que Germain était rentré. Qu'il n'était finalement pas monté dans l'avion. Qu'elle m'appelait de la cabine parce qu'il avait pris quelques jours de repos. Qu'il avait été fou de joie de la revoir. Qu'elle avait été surprise mais qu'elle avait essayé de jouer la femme inquiète et terrorisée. Qu'il ne lui avait rien dit de son escapade sauf qu'il avait failli faire une grosse bêtise au risque de la perdre, elle. Claire regrettait tout le mal qu'elle avait fait et souhaitait qu'« on en reste là. » Elle me demandait de ne pas essayer de les revoir, ni elle ni Germain. A priori ce dernier n'avait pas eu un mot pour moi. Comme s'il m'avait oublié au sortir d'un mauvais rêve qui se serait achevé à l'aéroport de Milan. Je refermai mon téléphone et le rangeai dans mon sac. Je repris la route, et un sentiment monta en moi, inconnu… J'avais tout gâché et ce que je ressentais à présent était loin de tout ce que j'avais connu auparavant : une amertume qui posait un voile gris sur mon ciel rose.

Michel Côté

Étrangère, elle l'est devenue

Cet épisode ancien ne faisait plus partie de son existence. Le droit d'oubli constituait, pour elle, un de ses rares moments bénéfiques. Ainsi, jamais cette femme ne répondait à la question du temps esquivé. Elle ne jugeait pas opportun de laisser revenir l'événement qui l'avait conduite au bord de la folie.

La perte de mémoire, au contraire, l'avait menée sur le chemin étroit d'une poussée qui ne céda point. Elle quitta tout, la monotonie, la maison et les êtres autour. Bref, chaque objet qui rappelait l'inutile.

Si certains n'ont point d'odeur, de flair ou de vision et assistent à leur vie attachés à une origine dévastatrice, l'Étrangère, quant à elle, choisit son existence par un refus obscur qui l'invitait à trouver une terre toute neuve, où tout commence ailleurs.

À force de jouer dans l'être, elle apprit à regarder. Seulement les mains, leur mouvement propre, sans regard, sans visage. La dignité des mains, leur passion particulière, offerte par la forme, la couleur et la nudité. Des mains nerveuses, vibrantes, sensuelles. Des mains douces, fortes et heureuses. L'Étrangère observait uniquement les mains, leurs figures imprévisibles, attendant patiemment la révélation involontaire d'humanité. Cette main, aussi, qui bouge, s'arrête, efface – on ne le saura jamais très bien – la main qui jusqu'à la fin laissera la voix se détacher du silence. La main qui se fraie un chemin, tels une conversation et un jeu parmi lesquels se révèle quelque chose d'inarticulé. Ces mains savent être précises, le plus simplement possible, un geste tendu qui porte la marque d'une émotion à peine tangible, des dessins pour l'heure quand personne ne les regarde. Des mains qui tiennent à distance, des mains qui prennent le risque des choses les plus étonnantes.

L'Étrangère apprenait l'art de la main. Entre le vide et le plein qui brouille la lisibilité primitive, son corps prit la terre à demeure. Chaque geste sauve un jour. La main trace, plus sûrement au hasard, ce qui rend la lumière et les mots. Elle œuvrait de l'une et de l'autre. La gauche, parfois, malgré sa maladresse, fortifiait le droit de se trouver en un lieu plus ouvert. À la tâche de dérouter, la droite modifiait, avec prudence, les formes revivantes. En solitaire, pleine de mains, l'Étrangère entrait à l'abri des identités.

Tout avait un autre éclat. Les traits, les brisures, les débuts, les griffures. Sans règles, elle alignait sur le sol ces passages de la langue la plus vivante du monde : le plaisir originel. Des mots, parfois anciens, parfois inusités, des signes de toutes sortes. Lentement, après de longues inflexions, des mots partaient d'entre les doigts, seul à seul, puis trois à la fois, des mots sur la page du sol. Par trentaine, ils faisaient le sens.

En cette occasion, le réel se glissait, avec la ressemblance d'un nouveau destin. L'Étrangère, dans l'écriture, interrompait le sombre, et dans l'irréel des chiffres, fondait le droit des mains. Des mots, qui se donnaient à toucher, elle éprouvait une délectation. La main, dans le plaisir, se décidait à la verticalité de l'œil.

Trente mots sur la page humide ou trente morceaux pour un poème. L'éphémère, à son aise. Dans toutes les directions, maintenant, des caractères variés, puis à n'en plus finir, éloignaient, avec bonheur, la lisibilité et le reconnaissable. Enfin la poésie première, une tendresse primitive, une coulée naissante. La cérémonie de l'écriture, à l'abri des usages et des restrictions. Multiples vies que ces idéogrammes, ces caractères allusifs. Langues senties, soigneusement interprétées, pleines de choses, de tout ce qui est. Comme on se tient devant le fleuve, auprès d'un rocher, parmi le vent à la pointe de l'île. Rares écritures dont l'alphabet se récite en trente lettres.

Elle demeura Étrangère dans cette naissance qui n'intéresse que ceux qui consentent à l'illisible. Son nom s'épelait : « paume, eau, son de la voix, heureuse de vivre ». Savait-elle qu'en tibétain, on aurait pu l'appeler Tsega ? Elle avait refusé l'origine dévastatrice. On est toujours l'étranger de quelqu'un, et dans l'impermanence l'étranger à soi-même. Cette femme savait près de son corps, plus léger que sa présence, le bleu des mots qui ne dorment pas vraiment.

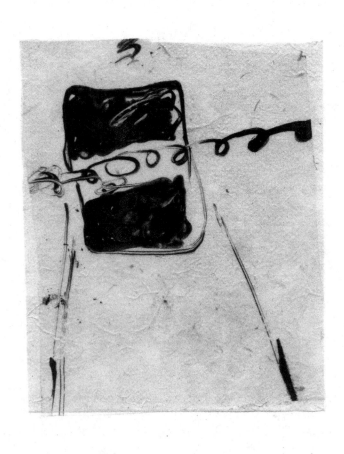

JEAN PIERRE GIRARD

Fable

*Les fous ouvrent des voies
qu'empruntent ensuite les sages*

Carlo Dossi
Notes d'azur

Au début de novembre 2006 est survenu un autre de ces faits assez troublants auxquels notre vie démente nous évite de nous arrêter. Ces événements sont des fissures temporelles, ni plus ni moins (fissure issue, cette fois, des tables de la loi édictées par les Hommes), qui nous permettraient de discerner un autre possible, dans notre lecture finalement assez limitée du monde – une lecture que nous souhaitons limitée, certes, ce qui est plus prudent.

Ça se passait dans la si mal-nommée Ligue américaine de football, ou NFL. Mike Vanderjagt, botteur de précision des Cowboys de Dallas, se trouvait dans la « zone payante », comme ils disent. Au tout dernier jeu du match, il effectuait une tentative de botté de placement qui aurait assuré aux Cowboys de l'emporter 22 à 19 contre les Redskins de Washington. Or le botté a été bloqué, et Sean Taylor, demi de coin des Redskins, n'a pas seulement récupéré le ballon (il aurait ainsi amené les deux équipes en prolongation avec possession aux Redskins), mais il a tenté de courir, le coquin – ce qui lui a souri pendant une trentaine de verges. Le temps au tableau indicateur était écoulé quand Taylor fut rejoint par Kyle Kosier, des Cowboys, qui par inadvertance lui heurta le protecteur facial en le plaquant. La pénalité de 15 verges s'ajoutant à la course de Taylor, les Redskins se retrouvaient à leur tour à portée d'un placement. Il n'y avait plus de temps au cadran, et on devrait aller en prolongation, mais à ce type précis de pénalité s'ajoute, aux 15 verges susdits, l'octroi d'un jeu supplémentaire. Oh-oh. Alors avec 00,00 au tableau indicateur, Nick Novak, botteur de précision des Redskins, réussit un long placement et fit en sorte que son équipe l'emporte 22 à 19 sur les Cowboys.

Et voilà le travail. Le monde retourné, un dé à coudre dans l'oreille, les preneurs aux livres consternés, ce n'est pas fini tant que ce n'est pas fini, avait-on cru jusque-là, mais c'était faux.

Pour nous, une seule leçon : quand il n'y a plus de temps, il en reste.

C'est très réjouissant.

J'ai envie de danser.

Qui n'aurait pas envie, lisant ces lignes, d'organiser une belle grosse fête ?

Quand c'est fini, il reste encore du temps.

Salutations à Robert Giroux, aux équipes passées et à l'équipe actuelle de *Mœbius*, dont le ruban se déroulera longtemps après la fin du temps réglementaire.

Robert Giroux

C'est l'autre qui dicte!
Triptyque du temps présent

1.
La voix porteuse d'échos fascinés

il ne supportait plus la lumière
la plus petite lueur lui était morsure et accablement
conjonctivite résistante avait diagnostiqué l'autre
jour après jour   petite fiole après petite fiole
déjà vieux et pas encore trente ans
il voyait à peine plus loin que le bout de son nez
ne comprenait que dalle à cette nuit qui épaississait
ses heures
donne son premier cours de lettres ici
cours à l'hôpital là
la fillette rieuse à mener à la garderie et à ramener
l'épouse impatiente à propos de tous ces petits caprices
de petit malade
le doigt pointé vers sa main à lui crispée posée
en visière
il s'empressait de couvrir la moindre ampoule
maniaque   papier sombre ou tissu de fortune
plongeant l'intérieur dans une interminable nuit
d'hiver

le froid ambiant empesait plus encore anciens
les projets
qui s'effritaient déjà depuis le retour du long voyage
à l'étranger
tout était prétexte au silence et au repli
tout pouvait servir
jusqu'à ce médicament à devoir garder au frais
et lors des déplacements dans un bocal à glaçons
comme une bouée imaginaire pour qui ne voulait pas
mourir sans un jour y voir plus clair

une proposition d'embauche en province lui fournit
son olifant
l'embarras allait perdre alors toute mesure
et tout à la fois
improviser des recettes de salut
allaient-ils encore une fois déménager
leurs petites affaires intimes
mettre leurs souvenirs déjà pêle-mêle dans des caisses
impossibles pour d'autres à soulever
accepter de muer comme mue en silence le serpent
mordre à cet appel du ciel qui ferait peut-être éclater
cette bulle qui étouffe les voix
lui, saisit sans hésiter la main aveugle qui lui était tendue
elle, elle refusa de bouger
et la petite resterait avec elle comme le prescrit la nature
des choses de l'humaine comédie
mais le réel reprendra rapidement le dessus
c'est alors que les petites maudites fioles de tous formats
prirent le bord de la poubelle
totalement inutiles parmi les grognements de la tornade
il alluma de lui-même le jour qu'il avait tant combattu
libéra les ampoules de leurs gaines précaires
ouvrit lentement les rideaux qui lui cachaient le dehors
il voyait clair, vous comprenez !
il n'avait pas trente ans
toute la vie devant lui promettait son père
héritier bien malgré lui de cent et un titres et statuts

celui de père qui vivra des années un peu seul avec bébé
celui du jeune professeur à qui on ne ménagera rien
celui de l'exilé en son propre pays et à l'affût
de voix   de chuchotements   de cheveux   de regards
statu quo impossible à qui ne savait mettre un frein
à sa course

plusieurs années passeront à semer à hue et à dia
et pendant ce temps-là la petite poussera
magicienne à ses heures
ses dents   ses griffes   ses peines profondes
comme un abîme d'enfant
ses silences de fillette un tantinet rêveuse de fond
comme sous l'effet d'un curieux sortilège
qui jamais ne se nommait
tandis que son père trouvait ce qu'il feignait ignorer
chercher
la passion dévorante
ne riez pas !
des mois et des semestres à vivre des amours à trois
infernal trio qui tantôt implosait et tantôt se reformait
la passion sans passeport et sans remède et sans coups bas
kamikazes aveugles qui vécurent là des frissons pour la vie
des odeurs de suicide par-ci   pures bravades !
des bains de nuit par-là   fous rires de Jouvence !
jamais rien ne parvint   si ce n'est pour la galerie
à étouffer ces braises à mille têtes

mais il a déjà raconté tout cela cent fois !
qu'il change de disque !
chiche !

il s'étiolait la jeune trentaine tandis que la libido
son venin...
il dérivait lamentablement quand une main est apparue
aussi inattendue que fermement tendue
une belle bouée qui lui tint la tête hors de cette boue
pendant qu'il vaquait à ses petites besognes
de prof et de père
pendant qu'il soignait ses petits hoquets pitoyables
c'est que la Terre poursuivait indifférente sa ronde
solitaire
une belle femme tira l'égaré des eaux poisseuses
(jeune papa mono en peine d'amour peut-il rêver
plus beau mirage!)
elle lui secoua les puces pour longtemps
le moucha plus de cent fois
le baisa sans faillir à qui mieux mieux
elle l'enroulait dans ses longs bras de mère attentive
elle le pelottait contre son ventre généreux
elle lui enseignait le murmure des chandelles de nuit
les odeurs changeantes de ses longues robes de gitane
elle aimait les bains parfumés   la mer par-dessus tout
incomparable splendeur   émerveillement à plus soif
elle aimait faire le clown et marier folles des couleurs
si douteuses
elle aimait s'entourer de ses vieilles copines d'enfance
elle avait l'amour et l'amitié et les connivences tenaces
elle ne s'appelait pas Lacolle pour rien
et notre homme finira par apprendre
ce que cela l'envoutait

les mois s'embouvetèrent si bien qu'il devint amoureux
d'elle   premier étonné
il la désirait macho pour lui seul à ses côtés
il l'aimait
elle était son assurance-vie   son carburant   son oxygène
sa simplicité volontaire   sa garantie prolongée
il savait qu'il devrait se déployer davantage pour la séduire
la mener au silence du jardin et le lui murmurer à l'oreille

avec ses propres mots   ses propres balbutiements
aux limites même du chant et de l'inexplicable élan
dans le retour du silence qu'elle avait si bien instauré
comme des îles se détachent et qu'à notre insu manquent
sur le seuil   il ne le savait que trop
la lumière approche et s'écrit
et lui murmure ce mot qui manque encore
elle épelle pourtant neige rocher verrou ou encore
paix lichen épaule yeux
épiant la phrase qui percera peut-être enfin la nuit
veillant au feu
énervant la mémoire   la langue   le souffle
elle lui toucha la joue   lui toucha la fièvre
et si bien qu'ils se mirent (en miroir) ensemble
pour trente ans

mais elle ne s'entendait pas très bien avec la petite
… un ange passe…
une ombre au tableau qui ne séchera jamais
complètement

en dépit de tout
trente années de toutes les humeurs
pensez voyages douleurs lectures connivences
querelles boulot télé attentes regards croisés
bobos caresses deuils fous rires manies et mirages
ce si précieux limon
ce dépôt sans prix
cette mémoire si vive
… trente années

pendant ce temps
la machine à désirs mijote toujours ses petits plats
de sorcière
être grands-parents passe toujours
la tribu s'occupe de recharger les batteries
et de maintenir le vent
il saura goûter à sa médecine et finira par lui manger
(dans) la main
mais un jour viendra   et il est sur le point de se lever
où il devra nager à même ses traces intimes
ses propres écritures
le journal de ses bonheurs de ses silences et larmes
toutes ces choses que nous partageons entre humains
ordinaires
nous les révélera comme si nous les entendions
pour la première fois
médusés nous serons quand de sa voix éclaircie
fuseront les rires ou traîneront les langueurs
seront martelés ses amours   ses goûts et dégoûts
et ses rages à coups de fleuret enflammé

pour toutes ces raisons d'espérer
l'écrivain est indispensable en ce monde
qui nous habite
les milliers de jours qui forment derrière lui d'écume
le sillon
et les milliers à venir feront entendre sa voix porteuse
d'échos fascinés
il lui faudra peut-être vivre vingt vies
mille chants à verser à l'épaule du guetteur

2.
Au mitan des rêveries boréales

s'il la touche   si jamais il ose
ne serait-ce que froussard du bout des phalanges
il est un homme mort
un délirant   un errant   un moribond de l'âme
seul et nu

prudemment il lance les dés
où pourra-t-il déposer sa tête si le corps exulte
comme celui d'un gamin trépidant et sans mémoire
à chacun des regards qui se posent et croisent l'œil
on dirait cette malédiction sourde n'attendant
qu'un signe
pour s'abattre et faire céder ses dernières digues
sa retenue   le regard qui feint d'être ailleurs
et pour raviver ses doutes
cette frousse à ses trousses
qui le mord au dos et aux épaules
lui fait des bleus
le pousse de force et le jette sans ménagement
par terre
il meurt meurtri à la hauteur de sa hanche de lait
raide et muette et clouée à sa chaise besogneuse
il l'aime   il la hait   l'imagine les sourcils d'acier
qu'est-ce que sera demain
averses   haleines   typhons
ce saxo plaintif   cette basse continue du rêve
ces baisers inavouables
il la cherche   il l'appelle
avec ces mots de cœur qui crépitent
contre sa joue de marbre
son indifférence

tenace
il relance alors les dés
trois fois trente-trois gagne infatigable l'aveuglé
consentant dans l'amorce du prochain voyage
il va   il vient lentement   il farfouille en se tenant fort
le ventre
et son ombre lui emboîte vite le pas de sa course
coquine
entre les grands arbres qui font déjà labyrinthe
pour le jeu
il sent son haleine lui lécher nerveusement le dos
tout s'éteint autour d'eux tandis que l'ivresse gagne
du terrain
et là il la retrousse de plus belle
la dévore glouton l'avale
elle mouille jusqu'à laisser des traces sur son passage
il la rattrape   elle coule sur ses grandes mains poilues
qui l'ouvrent
il la boit sans faillir comme une liqueur aux odeurs
encore inconnues
à ses doigts qui s'enfoncent dans son ventre juteux
ce ventre offert qui l'a si longtemps espéré
ici ouvert pour l'étreinte immémoriale

polisson
Janus ricane en ramassant les dés
encore chauds de la dernière mise

3.
Les os bleus
ou
l'amour ne reconnaît pas son âge

sous la main gauche portée en visière
brillent des yeux de montagne en cascades bleues
tandis que le voyeur encore inoffensif reprend
son souffle
bretelles odorantes au flanc du jour
à peine encore rodeur nonchalant sur le bout
des pieds

son prénom déjà ouvre et repousse tout
l'horizon connu
les steppes se déploient sous de slaves rêveries
et même si la voix au nez joue du sax indécis
pour les yeux espiègles du preneur de son
la sirène chantonne lumineuse ses mirages
d'écailles

l'Orient ignore ce satiné de la peau
l'épaule rose au versant du regard
les lèvres minces et boudeuses sous le doigt
de fouine qui lui mord la joue
petite hésitation peut-être devant la réponse
prévisible pourtant du navigateur tenace qui tisse
inlassablement
sa Pénélope marine
les longs bras se croisent sur la poitrine menue

une silhouette bouge dans la lumière blanche
et encore rare du jour qui monte sans retenue
champ de blé ou champ d'avoine
qu'importe ce que le vent chuchote en jouant
dans ces cheveux baignés d'or
(le cliché est un tel piège en ces ombres duvetées)
longues jambes de papier plié
la pose du pied pointé sous la chaise la pause
le rire en éclats de feuilles soufflées blanches
dos sans fin   hanches secrètes imprenables
barrages à l'avancée de la main ouverte
sur ce duvet des anges

une beauté qui s'ignore rend plus belle encore
et le faune ferme les yeux pour la millième nuit
se recueille au creux des années qui s'accumulent
comme hésitant entre la saisie du poignet ou la rêverie
pour lui seul
tandis que la main studieuse de la femme ailée
le visage légèrement penché sur les plages
de la mélancolie insondable
le nez qui voque à la dérive des pages qui l'enveloppent
oui la lecture pour ludique chaperon d'o
avant la levée subite du corps quand vient l'heure
de partir
le rangement de tout et de rien
et jusqu'à cette plongée sans filet dans la rue qui trahit
sa fuite et son évanescence

Ce dernier texte est paru légèrement différent en 2006 dans *Bacchanales*, la revue de la Maison de la poésie Rhônes-Alpes à Grenoble.

Jonathan Hunt

L'année de mes trente-trois ans
une traduction de Fulvio Caccia

Monsieur,

J'ai entendu parler de votre roman La coïncidence *en décembre dernier. Depuis, j'ai tout fait pour me le procurer ici à Portland, Oregon, où je réside. En vain. Finalement un ami me l'a envoyé de Paris. J'étais très curieux de le lire. Et de fait, à peine l'ai-je eu entre les mains que je l'ai dévoré. (Heureusement je me débrouille en français !) Ce n'est pas seulement pour le style ou l'intrigue. Les faits et le personnage principal m'étaient familiers, ô combien, puisqu'il s'agit d'un épisode de la vie de mon père. Comment avez-vous réussi à connaître à ce point son parcours, lui qui était le secret incarné ? Je précise que votre correspondant n'est autre que le fils aîné de Jonathan Hunt, celui qu'il a eu de Miranda, sa première compagne. Or bien que vous ayez su parfaitement restituer l'ambiance délétère de cette époque, en revanche, en revanche vous avez laissé filer quelques incorrections, omis des détails à mes yeux importants, qui, bien qu'ils ne flattent pas toujours l'image de mes parents, méritent d'être portés à l'attention du lecteur. C'est votre droit le plus légitime de romancier de ne pas les considérer. Néanmoins j'ai tenu à vous envoyer le texte ci-joint que j'ai retrouvé dans les papiers de mon père quelque temps après sa mort. Aussi, et bien qu'il faille tenir compte de l'avertissement selon lequel, comme au cinéma, toute ressemblance avec les faits relatés et les personnes est purement accidentelle, je crois que ce texte pourra vous servir à mieux comprendre ce qu'il était, puisque vous vous intéressez tant à lui,*

et ce qui s'est réellement passé l'année de ses trente-trois ans.
Avec mes salutations.

Jonathan Hunt II

*

J'ai eu trente-trois ans en 1985. C'est l'âge de la Passion, dit-on. J'habitais alors à Ramontel, King Street, un appartement de six pièces distribuées en « L », comme il y en avait tant. De ma véranda, j'avais une vue imprenable sur l'Institut des aveugles, le parc qui lui faisait face, et Raquel Avenue où je croisais Mike Belleville.

Ah ! Mike. Combien de conversations ininterrompues avons-nous eu sur ce coin de rue ? De fait, c'était plutôt lui qui tenait le crachoir. Moi, je me contentais d'opiner du chef et de tenter, je dis bien tenter quelques objections. Alors il m'apostrophait, m'interpellait et c'était reparti pour un tour. Immanquablement sa faconde attirait d'autres passants et très vite se formait un petit groupe qui l'écoutait, perplexe et subjugué. Il était comme ça, Mike ! Roublard et généreux, fort et fragile.

Fragile, je l'ai été plus que je le pensais cette année de mes trente-trois ans. C'est à ce moment que tout a basculé. Que s'était-il passé ? Rien, à vrai dire. Soudain j'ai été happé par un bien curieux vortex et j'ai ressenti une impression bizarre : celle d'être au sens propre et figuré « retourné ». « Détourner quelqu'un de quelque chose, dit le dictionnaire […] exprime l'idée de tourner en sens inverse. » Il dit aussi un bouleversement sens dessus dessous… et également le mouvement pour « aller de nouveau là où on est déjà allé ». J'étais tout cela à la fois et plus encore. Sans savoir pourquoi, ce que je considérais être mon monde intérieur s'est retrouvé au dehors, exposé aux caprices des éléments et au chant des sirènes. Comme Ulysse.

Ma sirène à moi a pris la forme d'Ariane. C'était une jolie brunette au corps de déesse et aux yeux noirs, immenses dans lesquels brillait un éclat étrange, lointain et nostalgique. Je l'avais rencontrée à Queenstown où j'étais allé promouvoir le seul numéro unilingue de la revue

Scalpel. Pour les besoins de la cause, mes camarades et moi nous étions tapé 1 600 kilomètres aller-retour en un jour. Après la présentation, nous sommes allés prendre un pot. Ariane nous a rejoints. Elle était parmi le public venu nous entendre. Son côté piquant, exotique m'a tout de suite tombé dans l'œil. Nous avons échangé nos coordonnées.

Dans le train de retour, Gaspard, qui avait observé la manœuvre, m'a suggéré de lui écrire sans tarder. « Les femmes adorent se sentir désirées. » J'ai suivi son conseil. Dans ma lettre, j'invitais la belle à me rendre visite lorsqu'elle serait de passage à Ramontel. Quelques semaines plus tard, un coup de téléphone m'avertit qu'elle était en ville et que je pourrais la voir.

J'étais ravi et troublé tout à la fois. À vrai dire, je ne m'attendais pas à lever ce joli lièvre aussi rapidement. Je venais de quitter Calypso, comme je la surnommais, qui me « promettait l'éternité » ; de plus, mon travail me donnait du fil à retordre. Nous étions au tout début de l'été. Je lui ai donné rendez-vous à la piscine du parc.

À l'époque je collaborais avec Gaspard à un projet de film. Le thème en était la folie ou, plus exactement, les manifestations de la folie à travers l'expérience de l'immigration. Ce sujet m'avait passablement secoué : ma propre mère avait vécu ce genre de traumatisme. Pour les besoins du film, j'avais été jusqu'à récupérer son dossier à l'asile. C'était encore lui qui m'y avait poussé. Un drôle de zigoto ce Gaspard.

Je le revois encore avec ses lunettes Ray-Ban, sa moue, ses cheveux bouclés, son quant-à-soi. À ses yeux, le monde était un vaste foutoir indigne de recevoir la grâce de sa présence. Cependant, derrière ce comportement décontracté et cynique se cachait un écorché vif. Cela je l'ai perçu immédiatement. J'aurais dû me méfier. Une amitié vraie, désintéressée nous fait grandir au lieu de nous avilir. Aujourd'hui je peux mieux comprendre ce qui s'était passé : c'est le spectacle de son désarroi qui m'avait attiré. Car il correspondait point par point au mien, à cette différence près qui fait, si j'ose dire, toute la différence. Son désarroi était public, le mien privé.

Certes, je n'étais pas le premier à tomber dans ce genre de malentendu. Des bibliothèques entières ont été écrites sur cette équivoque. J'avais cru reconnaître un alter ego dans cette blessure partagée. Il n'était qu'un pleutre qui mimait le théâtre de son angoisse et de ses incertitudes.

Les séances de travail avec lui étaient éprouvantes. J'en ressortais, chaque fois, amer et furieux. Le moindre détail devenait l'objet d'une négociation filandreuse dont la finalité ultime n'était pas l'écriture du scénario mais le fait de me faire perdre patience. Il était ce qu'on appelle communément un pervers.

Je défaisais le lendemain ce que j'avais peiné à tricoter la veille. Aucune scène ne résistait à sa soi-disant « critique constructive ». Et qui plus est, il prenait un malin plaisir à couper toute relation entre elles. C'était, disait-il, pour les rendre plus « libres. » Mon œil ! En vérité c'était pour les asservir à sa propre et minable volonté de puissance. Voilà pourquoi son cinéma était médiocre, gratuit, vain comme l'époque dans laquelle nous entrions. Gaspard représentait le côté creux et clinquant de ces années 80 ; ces *golden eighties*, toutes en paillettes et dorures. Alors j'ignorais que je n'étais pas seulement son alibi mais la matière première dont il avait besoin pour extraire les images qu'il cassait par la suite.

C'est dans cet état d'esprit que j'ai retrouvé la jolie brune de Queenstown à la piscine. Il faisait chaud. Le soleil noircissait l'air ambiant en allongeant infiniment les ombres sous les arbres et les maisons. Tout paraissait distordu. Il y avait du monde partout : sur les pelouses, contre la clôture, sur le pourtour asphalté… Ces corps nus, ces cris, l'odeur de la crème solaire me donnaient le tournis. J'ai laissé Ariane aller seule dans la piscine. Elle portait un maillot de bain une pièce blanc immaculé. Quoique son corps fût celui d'une femme bien faite, ô combien, son visage avait conservé un je ne sais quoi d'enfantin, d'obtus qui lui conservait un petit air de Lolita. Cela m'agaçait et m'excitait à la fois.

Un type que je connaissais s'est approché de moi. Son nom aujourd'hui a sombré dans l'oubli. On a dû parler de choses et d'autres puis il m'a demandé des nouvelles de Calypso. Je lui ai dit que je ne la voyais plus. Il a secoué la tête puis son regard s'est porté sur Ariane qui venait de sortir de l'eau. Il m'a demandé le nom de cette naïade. J'ai répété qu'elle s'appelait Ariane et que je l'avais connue à Queenstown. J'ai ajouté qu'elle y était conseillère municipale fraîchement élue. L'homme dont même le visage s'est estompé dans mon souvenir, a souri et m'a félicité pour cette « jolie prise. » Puis il s'est levé et est parti. Un vague malaise m'a alors saisi. J'avais l'impression de trahir Calypso même si nous n'étions plus ensemble, mais c'est la référence au mot « prise » qui ne me disait rien qui vaille.

Nous sommes allés directement chez moi. C'est en gravissant les marches que je l'ai croisée : Calypso habitait non loin. En réalité, Calypso s'appelait Miranda comme dans Shakespeare. Il a fallu qu'elle passe à ce moment, elle qui d'habitude ne rentrait jamais chez elle avant la fin de la journée ! Elle n'a rien dit en me voyant avec Ariane. Mais dans le tremblement de ses lèvres, j'ai bien senti que Miranda accusait le coup ; retenait ses larmes. Sans doute demeurait-elle encore amoureuse de moi. Je n'y pouvais rien. Je ne savais pas alors qu'elle était enceinte. Elle non plus sans doute. Notre histoire était bel et bien finie. Dans le fond, Ariane tombait à pic. Je m'en servirais comme de ciseaux pour couper le fil.

Dans la chambre, j'ai déshabillé la belle enfant comme on « dépapillotte » un bonbon. Son corps se révéla à nouveau dans son hiératique beauté. Des seins en forme de poires, un ventre doux, plat et délicieusement ambré, et un cul joliment rebondi : un cul de reine. Nous avons fait l'amour le reste de l'après-midi. La chaleur humide entrait par la fenêtre ouverte avec les klaxons des voitures, le gaz des tuyaux d'échappement et le cri des enfants.

Elle se donna avec application et méthode. Son corps était comme ces terres paresseuses qu'il faut sans cesse labourer avant qu'elles ne daignent offrir leurs maigres fruits. En elle, j'ai senti la résistance passive, immémoriale d'une lignée de paysannes aux hanches larges dont elle était issue. Silencieuses, dures à la tâche, ployant sous les enfants et la main calleuse de l'homme, elles se pâmaient seulement devant Celui qui agonisait sur la croix. Alors j'ai remarqué un petit éclair argenté autour de son cou : il était là qui me narguait, le petit crucifix ! C'est le seul bijou qu'elle avait conservé. Un cadeau de sa grand-mère, évidemment. Par jeu, j'ai voulu le lui retirer mais elle a protesté. Une idée folle m'était alors venue : l'enrouler autour de ma verge en érection pour briser le charme et la forcer à m'adorer ! Volonté de puissance, quand tu nous tiens !

Je n'ai pas donné suite à cette fantaisie sacrilège et, j'en conviens, un tantinet machiste. Avec le recul, je me prends à rêver à ce qui aurait pu arriver si je l'avais fait. Elle m'aurait giflé sans doute. Nous nous serions battu. Je l'aurais soumise à nouveau à mon désir. Mon sort en aurait-il « vraiment » été changé ? Rien n'est moins sûr. Je reste un contemplatif et un indécrottable velléitaire. Je ne crois pas à la force brute. Je suis un faible.

Après nos ébats, Ariane me prépara un plat de son pays sans se départir de cette moue enfantine qui la caractérisait. Nous avons échangé peu de mots. J'ai appris tout de même qu'elle était vaguement la maîtresse d'un type plus âgé. J'ai subodoré qu'il était son mentor et qu'il était marié. Sa candidature politique correspondait parfaitement à la nouvelle donne multiculturelle de l'heure : jolie jeune femme de la seconde génération d'immigrants, avec un bac en sciences sociales. Qui dit mieux ! Je la congratulai pour son exploit. Elle rougit, ne sachant si c'était du lard ou du cochon, puis bâilla.

Le sexe l'avait épuisée. Et moi aussi. Elle me demanda si elle pouvait rester dormir. J'acceptai bien entendu. Elle appela sa copine Sarah qui l'hébergeait et l'avertit de son changement de plan. J'entendis des gloussements à l'autre bout du fil. Un homme s'empara du combiné et l'avisa tout de go qu'il viendrait nous chercher le lendemain matin pour nous emmener chez le professeur Bandini au lac Écho. Le visage d'Ariane s'illumina. Je ne pouvais lui refuser cette proposition de Gaspard.

JACQUES JULIEN

Une vie va toujours

Je suis musicien. C'est dire que la trentaine, je l'entends d'abord vibrer comme la basse et grosse corde en sol dans l'air célèbre de Jean-Sébastien Bach (Suite n° 3). Dans les mots de Büchner, « la corde sensible vibre de la même façon chez presque tous les hommes, seule la carapace à percer est plus ou moins épaisse » (Georg Büchner, *Lenz*).

Si j'étais plus aventureux, bien plus que l'oreille, j'y mettrais tout mon corps à jouer et j'éprouverais plutôt la jouissance physique de la vibration puissante d'un cordage de voilier, bandé dur sous des vents impétueux. Ou la fermeté tendue d'un mollet de fer enclenché à la pédale, à la chaîne et aux roues qu'elle fait tourner, ou bien encore le jeté absolument insolent d'un revers au tennis, baveux mais zen pourtant, détaché de tout, vide bien qu'à l'affût, ou cette dernière ivresse d'adrénaline dans les crampes du sprint final.

Plusieurs temps, plusieurs lieux, des accélérations et des décélérations. « Dans une nouvelle admirable, écrit le philosophe Gilles Deleuze, Fitzgerald [l'auteur de *The Great Gatsby*] explique qu'une vie va toujours à plusieurs rythmes, à plusieurs vitesses » (« Politiques », dans *Dialogue*, p. 153). Ailleurs, un wikipédien anonyme a écrit aussi de cette nouvelle admirable, « The Crack-Up », « La fêlure », qu'elle est « déchirante ». Qu'elle opère donc elle-même, « fêlure déchirante », ce dont elle parle, qu'elle déchire et lacère ou s'insinue au contraire, qu'elle fêle ou craquelle. Si c'était un bruit, un son superposé à ce mouvement, ce pourrait être le bruissement assourdi d'une eau qui coule dans la nature, celle d'un ruisseau, par exemple, tant il est vrai qu'« un ruisseau se creuse, même un peu profond ruisseau » (159). Dans les rares buissons sur la berge, aux soies d'une toile d'araignée, se balance une goutte de pluie dans laquelle se reflètent des nuages dégorgés. Une mouche bleutée s'y est prise et lutte avec les nœuds de son piège.

Mais il y a plus encore. Au lieu d'écouter les bruits de l'univers, si je regarde au creux de ma main, qu'est-ce que j'y vois ? Des coupures, des striures mais aussi d'autres fêlures, de chair cependant, si cela est possible que la chair se fêle. « Comme bien d'autres avant moi, je m'intéresse à la chair, à la longue histoire des bleus, des cicatrices et des entailles » (Nicole Brossard, *Langues obscures*, 26). Et ces lignes sont pareilles à celles qui fleurissent le fond de mon bol à café préféré, à celles qui meurtrissent le bel émail d'un vase d'argile. Dans la matière de mon corps, dans ma chair, circule également une autre ligne parasitaire, secrète aussi et qui m'a été longtemps aussi imperceptible que le premier cheveu blanc apparu sans qu'on s'en soit jamais rendu compte. Ou qu'un seuil de résistance soit franchi et que quelque chose ait cédé. Je ne sais pas quand, je ne sais pas où, mais je le ressens bien : je résiste moins. Je suis moins résistant, moins dans la résistance. Ça s'est passé comme ça, c'est arrivé en moi sans moi, à mon corps défendant. Ça s'est fait. C'est fait, c'est installé. Quoi ? La trentaine et ses effets. La trentaine en effet.

C'est que la vie – et même si on devait la concevoir comme une entreprise de démolition (ce que Fitzgerald soutient, précisément) – n'avance pas par à-coups, coupures, ruptures, failles, éboulis, grands fracas ou tsunamis. Au contraire, tout cela, la vie qui va, se fait le plus souvent en douceur, en deçà de la vision, à l'échelle microscopique, en mouvement brownien. Ou au contraire, au-delà de toute perspective, à une échelle quasi cosmographique, comme les languides glissements reptiliens des plaques tectoniques. Je suis à la fois la corde qui vibre sous les doigts du violoniste, une algue qui fluctue dans ces eaux amères porteuses aussi d'un vaisseau dont la toile faseille dans le vent. Et je suis encore cet oiseau qui chante juché au sommet du mât et c'est moi toujours moi, les notes de son chant que le vent emporte.

Je ressens donc aussi ce qui n'est pas encore l'amorce d'une ligne, rien de perceptible à l'œil, mais l'ombre d'une faiblesse, la faim d'un affaissement, l'attente d'un glissement, une mise en scène qui est propice à… À quoi ? On ne peut pas le dire. On en fera le constat après coup. Voilà : c'était donc cela. Par exemple, cette fatigue ou cette fébrilité, cette pâleur qui « annonçait » quelque chose. « [Lenz] poursuivait indifférent sa marche, peu lui importait le chemin, qu'il monte ou descende. La fatigue, il ne la ressentait pas ; simplement, il lui était désagréable, par moments, de ne pouvoir marcher sur la tête » (Büchner, *Lenz*). Invité à dire comment j'en suis arrivé là, « Je n'ai rien ressenti », dirais-je dans un souffle étonné à un docteur ou à un psychanalyste. Mais c'est là, bien là, installé en moi : soudain (mais aussi très lentement et depuis longtemps) une faille s'est ouverte, de la vapeur s'échappe, des fumeroles, ensuite de la fumée. De la suie et enfin de la lave surgissent à la fois, mugissant comme les tuyaux d'un orgue, et qui se sont mis à recouvrir mon univers de leurs fins débris.

Ou bien, effectivement, les thérapeutes ont eu raison de me calmer : ce n'est rien, je n'ai rien à déclarer, à signaler, pas même une palpitation ni le moindre battement sauté dans une arythmie du cœur. Mais là-bas, sous le derme du calme, au-dedans de moi, au tréfonds de moi, au plus intime de moi-même, des molécules se sont regroupées ; elles se détournent maintenant de leur sentier accoutumé, elles montent vers mon cœur d'un sud anarchique dont je ne savais rien hier encore. Terre de l'imprévu et de l'imprévisible, puisque « Les grandes ruptures, les grandes oppositions sont toujours négociables ; mais pas la petite fêlure, les ruptures imperceptibles, qui viennent du sud » (159). Et « chacun a son sud » (159). Au sonnant de mes trente ans, l'aiguille de ma boussole en a frémi… « La répartition des désirs a changé en nous, écrit encore Deleuze, nos rapports de vitesses et de lenteur se sont modifiés, un nouveau type d'angoisse nous vient, mais aussi une nouvelle sérénité » (153-154). Alors oui, j'en conviens, il y a bien eu une petite frayeur, une moiteur à la paume des mains, un plissement des yeux pour corriger la vision, puisque « un contour se met à trembler » et qu' « un segment vacille » (157).

Et puis, quand toutes les lignes vivantes prolifèrent, concourent, interviennent, se coupent et se recoupent, se révèlent et se dessinent sur toute la surface de la feuille quadrillée de notre vie, « on dirait que rien n'a changé, et pourtant tout a changé » (154). La toile familière depuis notre enfance n'a plus du tout la même architecture. La texture de la matrice s'est tissée d'elle-même et à mon insu selon des motifs aléatoires, imprévisibles mais qui sont déjà parfaitement dessinés. Je me croyais seul, unique : « vaste monde, disais-je, je te vaincrai ou j'en mourrai », ou bien : « je serai Chateaubriand ou rien ». Et voici que ce matin, dans mon miroir embué ou dans les reflets vifs des publicités du métro, je me vois comme je vois tout le monde. Je me vois comme je te vois me voir te voir. Ainsi fondu dans la foule, je ne me distingue même plus. Je n'ai rien de distingué ni aucun signe distinctif. Je suis « ordinaire », tout ce qu'il y a d'ordinaire. Je comprends le sens de « frères humains qui après nous vivrez » (Villon). Et : « Tous pour un et un pour tous ». Interchangeables. Statistiques. « On peut donc être mis les uns pour les autres », me dis-je incrédule.

Et pourtant chacun garde son style : je marche, je me démarque des passants, j'avance, je saute, je tourne sur mes pas, je recule, je bats des coudes, tape des mains et me propulse en avant. J'ai encore mes propres lignes d'erre, d'errance et je demeure imprévisible, ça je vous le garantis. Dare-dare, je saute encore à cloche-pied, s'il le faut, dans une marelle soudain reconfigurée. Je déjoue le tour qu'on m'a joué. Je joue et je déjoue l'emprise du deux, de la binarité, du dualisme. Je découvre et j'aime le trois et le troisième et le trentième et en tout je préfère l'impair « plus vague et plus soluble dans l'air / sans rien en lui qui pèse ou pose » (Verlaine, « Art poétique »). Ceux-là et celles-là, gens du trois, de l'impair, ils misent, passent et gagnent. Ils perturbent et pervertissent, détraquent et dévoient.

Quant aux sillons des grandes cassures, les failles sociales, j'y rejoins comme tout le monde les lignes de force de mon temps. Je n'en suis plus à l'infiniment petit de mon univers personnel : j'ai évolué avec la vie de mes parents, au gré des événements de la société contemporaine. Au milieu ou en marge, centré ou excentrique : qu'importe. Je me suis joint à la caravane humaine et c'est devenu ma vie, mon existence telle qu'elle s'est mise en marche depuis ma naissance, mes jeunes années. Quelque chose fut, a été et ne sera plus : cela prend déjà – à trente ans, imagine ! – la figure sombre d'une nostalgie. J'entends les vieux regrets de Villon : « Bien sçay se j'eusse estudié / Au temps de ma jeunesse folle, / Et à bonnes meurs dedié, / J'eusse maison et couche molle ! » Déjà une petite névralgie vrille le crâne quand s'y dessine en creux la ligne de ce qui n'a pas été et qui ne sera peut-être (sans doute) jamais. Est-ce cela qu'on appelle « les espoirs déçus », les rêves dégonflés, les lendemains qui déchantent ? Des rêves qui se sont déroulés peut-être tout croches, sans suivre le script, à l'envers du rêve américain. « *A dream comes true* », « *to make a difference* » : j'ai beau m'en frotter les yeux, rien de tout cela ne s'est encore produit. Cette anticipation anxieuse de ce qui ne viendra jamais, c'est un pli de plus entre les yeux, l'esquisse fine d'une patte d'oie, la palpitation en relief d'une veine sur la tempe.

Par ailleurs, en même temps et sur la même page de mon livre de vie courent d'autres lignes plus définies, genre « X➡H », segmentaires. Puisqu'elles s'organisent selon un début et une fin et qu'elles se tiennent la plupart du temps deux par deux, ce sont des lignes de choix à faire. Ou de positions contraires à occuper successivement, avec toujours la possibilité de retours, de reprises, de repentances. Un peu comme au jeu des échelles et des serpents. Et comme à ce jeu, il y a des décisions qu'on pense avoir prises en toute liberté alors qu'il s'agit toujours d'un jeu qui nous joue au gré d'un poing fermé brassant les dés de nos choix. « — lance comme il faut / les dés de mon bonheur, Toison de mer / pelle un bon tas de la vague qui me porte, Noir-juron » (Paul Celan, « Port », dans *Renverse du souffle*). Ainsi, il arrive qu'on prenne une débarque, et c'est la glissade, la chute, la dégringolade et l'humiliation de la case départ. De riche à pauvre, de jeune à vieux, de succès en insuccès ou pas de succès du tout, de santé à maladie, de bonne forme à mauvaise forme. D'amour à tarissement d'amour, de créativité à panne totale de créativité. Puis les dés sont à nouveau jetés. Un lundi matin ensommeillé, on connaît soudain une promotion, une ascension, une résurrection peut-être.

Souvent, il y a une date précise, un lieu donné. C'est inscrit, bien noté, accusé de réception. C'est donc facile de raconter ces épisodes segmentaires, de les regrouper même en faisceaux, en ensembles, de façon à former une sorte de tranche de vie. On s'est détaché du troupeau, du clan, du groupe. Les camarades, on les salue maintenant de la main, au volant de leurs autos superbes, ou au contraire silhouettes estompées dans les files d'attente. Les fraternités jurées se dessoudent, le cercle des amis se rétrécit. Peut-être même n'est-ce plus un cercle mais un triangle, une tangente, une dérive. Depuis des années, on avait investi. Soi-même ou d'autres à propos de soi. On a en main un paquet de valeurs et on les effeuille maintenant comme les pétales d'une marguerite. Tel diplôme? Telle blonde, tel chum? Telle aventure, projet, entreprise? Humm… Et on pense à souffler sur ce qui ne pèse plus trop lourd. Sur ce qui ne fait pas le poids. Ne tient pas au ventre, ne tient pas la route.

Ces courts segments autobiographiques peuvent s'agglutiner autour de segments plus importants, à caractère socio-politico-économique et qui ont une fonction de polarisation, d'aimantation. Un krach boursier, par exemple, l'apparition du iPod face au déclin du baladeur, le conservatisme qui l'emporte maintenant sur les attitudes libérales (ou « est-ce le contraire? » Ou « n'est-ce pas la même chose? »), etc. D'ailleurs, explique toujours Deleuze, ces lignes segmentaires ne s'entrecroisent pas au hasard. Elles sont soumises à de grandes machines, binaires elles aussi, des systèmes. Classes sociales, sexes, âges, races, secteurs privés et publics, sentiment d'appartenance à un chez-nous ou hostilité d'un rejet. Puisque l'ensemble de notre vie s'est toujours organisé selon les polarités segmentées de ces choix à faire, on est un jour très mal à l'aise quand se produit une fêlure déviante qui ne répond pas au diagramme binaire familier. La fêlure « arrive », elle se produit, elle est là. Mais dans l'ombre ou en pleine lumière, tourne l'efficace machine abstraite des dispositifs de pouvoir, « la Maudite Machine » (Pierre Flynn). Tout ce qui se rassemble sous l'appellation très vaste et très vague d'État.

Dans ses archives personnelles, quelqu'un pourrait trouver des artefacts disparates. Comme des almanachs chinois marqués de titres énigmatiques : décennie du « nez dans le limon », ou année « du coup de talon », les rappels d'une terrible enfoncée, d'une remontée du désespoir et d'un bol d'air frais lapé in extremis. Büchner fait voir le jeune Lenz, dans le vertige de sa randonnée folle en montagne : « [...] alors sa poitrine se déchirait, il s'arrêtait, suffoquant, le corps plié en avant, les yeux et la bouche grand ouverts, il lui fallait, pensait-il, amener l'orage en lui, faire en lui tout tenir, il s'allongeait, se couchait sur la terre, se creusait un passage dans l'univers. C'était un plaisir qui lui faisait mal. »

Pas d'échappée, pas de fuite. La paroi des montagnes dressée comme un mur, ce que Deleuze encore appelle un « point de fuite ». Et pourtant, une délivrance chante dans ce silence de pierre : le point de fuite est aussi le carrefour minuscule auquel s'embranchent une multitude de lignes de fuite. « Point de vue », ce serait le nombril d'un labyrinthe et le fil rouge d'une blanche Ariane. Au pire et en catastrophe, le débouché d'une course éperdue sur les lèvres d'un précipice, la faille, le canyon, l'abîme. Chute d'Icare.

Dans les dédales de la vie quotidienne, ce « point de fuite » et « pas de fuite possible », c'est le stress invivable du chien de Pavlov qui ne sait plus où donner de la tête, de la voix ou de la patte. Quelle est donc cette sonnerie sadique qui le fait baver sans donner la récompense promise ? Car enfin, même s'il n'y avait pas eu de « promesse » formelle entre Pavlov et son chien expérimental, pas de contrat ni de poignée de main, tout de même – c'était la coutume – une récompense, un résultat positif se produisait toujours quand la bête posait les bons gestes. Jusqu'à ce que le savant perde la tête, qu'il complexifie à outrance les règles de son expérience. Être un chien ou ne pas être. Adopter le point de vue du chien. Couiner, se rouler en boule, prendre des poses obscènes et lâches. Bave, chien !

Oui, brave : il y a de la valeur à se découvrir chien, même chien pris aux liens d'une expérience délirante. « Chien de l'âme », écrit Nicole Brossard. « Au milieu des œuvres complètes, dans toutes les langues qu'on a parlées, sur les quais de métro, devant la mer, le chien de l'âme vise obscurément les plus hautes notes. » (*Langues obscures*, 12). L'initié à l'alchimie de la vie commence à découvrir le pouvoir de sa matière sombre, les courbes que son magnétisme impose à la droite ligne vibratile de sa vie. « Tu ressentiras, avait dit le maître, une pesanteur et une présence en creux, une "pesance" ». Bénie sois-tu, ô énergie noire. Moins en lumière et plus en lignes de force, le beau ténébreux de trente ans, savant chien de l'âme « perché sur son anatomie », en passe de devenir « grand interprète des langues obscures » (Brossard, 24). Passer au langage, s'y jeter même à corps perdu comme dans un point de fuite liquide, échapper aussi bien au mur qu'au précipice, s'immerger et se baigner dans une lumière marine. Et là, dans ces eaux de sel, la laine d'Ariane encore au poing, le plongeur chien chante d'autres notes et nage autrement dans sa technique indescriptible, lui qui a « du chiendent d'achigan plein l'âme » (Gaston Miron, « La marche à l'amour »). Pour lui, tout se confond « en une seule ligne, comme une vague qui montait et descendait, entre ciel et terre », reposant « au bord d'une mer infinie, qui ondulait doucement » (Büchner). Ces mesures d'accompagnement montent, s'empilent, se poussent, cassent, lèchent le sable. Un bras enlace un ventre et le crin rencontre la corde. Comme une « attaque de violoncelle / de derrière la douleur » : « quelque chose devient vrai / […] tout est moins qu'il / n'est / tout est plus » (Paul Celan, dans *Renverse du souffle*).

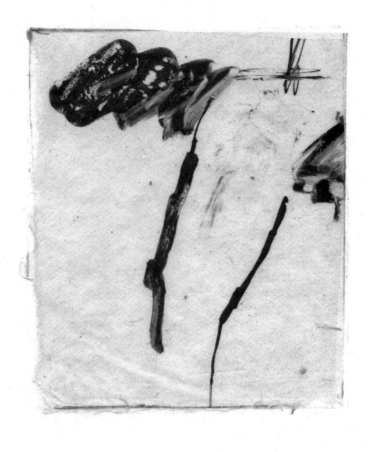

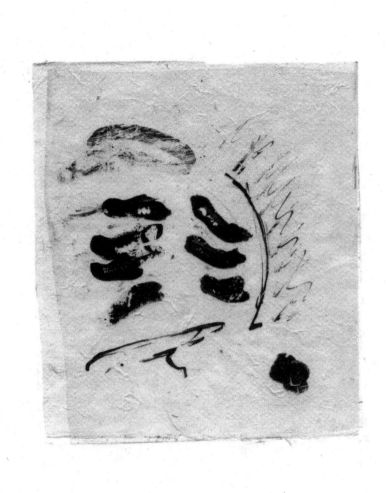

Luc LaRochelle

Redondance
ou La danse des mots qui tournent en rond

— Quel gâchis! Cela fait combien de temps que vous êtes ensemble?

— Presque trente ans.

— Elle a un amant?

— Elle me dit que non. Je la crois: elle n'a aucune raison de me mentir…

— Mais c'est insensé. Où va-t-elle aller? Et avec quel argent?

— L'an dernier, elle a hérité d'une tante. Environ vingt mille dollars.

— Elle ne tiendra pas le coup bien longtemps avec cela!

— Que veux-tu que je dise? Elle est décidée à partir. J'en suis certain, Vincent: d'ici une semaine, ce sera fait.

— Comment te sens-tu?

— Désemparé… je ne comprends pas… Vois-tu, avec ma retraite qui approche, je comptais sur les prochaines années pour me rapprocher d'elle. Nous projetions pour l'an prochain un long voyage, six mois peut-être, traverser le continent… en prenant notre temps…

— Pierre, je ne sais pas trop quoi te dire. De mon côté, c'est certain qu'avec Isabelle, ce n'est pas comme avant: on baise pas souvent, mais on parle beaucoup, et puis on rigole. Nous sommes encore bien ensemble. Enfin, je crois…

Ensemble. Le mot trottait dans la tête de Vincent pendant qu'il remontait la rue Saint-Denis. Il s'en voulait d'avoir écourté son lunch avec ce pauvre Pierre, mais il avait un rendez-vous avec le chargé de compte de sa société à l'agence de publicité. « De toutes manières, je ne pouvais pas faire grand-chose pour le consoler ; il faut que le temps fasse son œuvre », pensa-t-il. Il avait tout de même invité Pierre à venir passer le week-end suivant à la campagne. Les couleurs de l'automne seraient à leur meilleur, et la Fête des vendanges se tenait jusqu'au dimanche à la ville voisine. Il y aurait de quoi lui changer les idées.

Ensemble pour la vie… ensemble pour le meilleur et le pire… ensemble…Vivre ensemble, parler ensemble. À vrai dire, Vincent ne connaissait rien d'autre : il avait quitté le bungalow de ses parents pour l'appartement d'Isabelle à vingt-deux ans. Donc pas d'expérience de la solitude. Depuis, pas de drames. Un vie plutôt ordinaire, prévisible… Était-ce de la chance ?

Alors que Vincent emprunta la rue Rachel vers l'est, il était toujours absorbé dans ses pensées : « Un ensemble, c'est cela : Isabelle et moi formons un ensemble. Comme deux doigts de la main… comme… Au fait, la main de qui ? La mienne, la sienne ? Bon, c'est assez, pensons à autre chose. »

Il arriva chez Publi-Action avec dix minutes de retard. Guy Morissette avait déjà installé le projecteur dans la salle de conférence et se préparait, en relisant ses notes, à convaincre Vincent du bien-fondé de l'approche marketing que son agence proposait pour un nouveau produit dont le lancement était prévu pour le mois suivant.

— Voyez-vous, Vincent, nous croyons qu'il faut faire en sorte que le consommateur perde ses vieux réflexes, qu'il aborde sa décision d'achat d'une nouvelle manière, plus spontanée, plus… gratuite.

Vincent n'était pas d'humeur à prendre une décision immédiate, ce qui déplut à Morissette. D'autant qu'il avait dû l'interrompre alors que Morissette reprenait son argumentation pour la troisième fois. Il repartit de l'agence avec la version écrite de la présentation dans sa mallette, et décida de passer chercher Isabelle à son bureau. Il lui téléphona pour lui dire qu'il l'attendrait dehors, à la porte de l'immeuble.

— Oh la la ! Vincent, tu fais une drôle de tête : tu n'as pas l'air dans ton assiette. Que s'est-il passé ?

— Rien. Je… réfléchissais… après mon lunch avec Pierre.

— Ah bon. Et puis ?

— Je me posais des questions. Tu crois que nous sommes… vraiment… ensemble… tu comprends ?

— Écoute, chéri : nous sommes aussi ensemble que l'on peut l'être dans un vieux couple. Je ne vois pas où tu veux en venir.

— Cela te convient, cette vie ?

— Bien sûr, qu'est-ce que tu vas chercher ?

— Je te l'ai dit : je réfléchissais, c'est tout. Normal, non ? Avec ce qui arrive à Pierre.

— Écoute, voici comment je vois les choses : on s'aime très fort au début, puis avec le temps, cela change. C'est tout. Bon, allons prendre le métro.

Comme Vincent ne bougeait pas, Isabelle se retourna vers lui :

— Tu viens ?

— Curieux tout de même…

— Curieux, pourquoi cela ?

— C'est que… tu viens de me dire exactement ce que Carole a dit à Pierre, la semaine dernière, en lui expliquant pourquoi elle le quittait.

Le sourire éteint d'Étienne G.

Il a la frange longue et noire.
On dirait l'aile cassée d'un corbeau.
Ses yeux, vous les connaissez. Ils se sont déjà posés sur vous. Avec désir. Avec envie.
Vous avez beau faire ; vous avez beau dire.
Rien n'efface le sourire éteint d'Étienne G.

*

Vous avez une bague au doigt. De petits diamants taillés en lamelles.
Vous êtes aimée. Vous êtes entourée.
On vous invite. On vous sollicite. On vous harcèle presque.
Tous les jours, vous montez dans votre grosse voiture noire.
Noire comme la frange rebelle d'Étienne G.
Lui n'a que ses pieds.
Vous ne savez même pas d'où il vient ni où il va. Vous pariez qu'il l'ignore aussi.
Comme toujours, vous avez gagné.

*

Il avait de l'esprit, de la culture.
Un humour qui mordait plus fort que le froid.
Dès qu'il le pouvait, il vous prenait dans ses bras. Il vous tenait bien serrée. Un enfant qui s'agrippe à sa mère.

Vous riiez.
Vous aviez presque trente ans.
Tous les deux.
Vous pourriez le jurer.

*

Il y a longtemps, à peine quelques années pourtant. Du moins, il vous semble.
Vous le fréquentiez.
Un ami d'un ami d'une amie.
Il vous inspirait du dégoût. De la pitié.
Vous essayiez de ne pas voir ses dents marbrées de carie.
Ni sa main aux ongles sales qu'il tenait devant la bouche pour tout cacher.
Puis vous l'avez vu avec une fille.
Vous vous êtes dit : « Ca y est. Il s'est casé. »
Dédouanée, vous lui avez tourné le dos.
Vous avez acheté votre première demeure. Vous l'avez rénovée. Décorée.
Mais Étienne G. n'y est jamais venu.

*

Sur la commode, tant de poussière.
Vous entassez les photos, les bijoux et les lettres.
Dix ans plus tard, vos mains sont encore belles.
Vos yeux aussi.
Mais pas quand vous songez à Étienne G.

*

La dernière fois que vous l'avez vu, c'était dans la rue
Cartier.
Vous avez crié : « Étienne ! »
Il vous a fait un signe. « Non. Je ne veux pas. Ne me
demande pas de te parler. J'ai trop honte. »
Il a bifurqué. Est entré dans une pharmacie. Vous ne
l'avez pas suivi ; vous n'avez pas insisté.
C'était votre paix d'esprit ou sa dignité.

*

La nuit, parfois, le vent siffle son nom.
Alors, vous vous levez et vous fermez la fenêtre.
Blottie dans votre lit douillet, vous paraissez si calme.
Dans votre deuxième demeure, plus grande et plus belle
que la première, rien ne se passe.
Vous êtes arrivée quelque part.
« Et lui ? » dit le réveille-matin.

*

Vous l'avez perdu de vue.
Totalement. Définitivement.
Vous voudriez que cela vous indiffère. Vous êtes mal faite.
Tant de bonheur vous rend coupable.
C'est pourquoi vous écrivez.
Pour qu'on se souvienne.
Il y avait quelqu'un de bien derrière le sourire éteint d'É-
tienne G.

BERTRAND LAVERDURE

Geneviève
ou Liliom *(1934) revisité*

Je suis mort il y a de cela deux minutes.

Mon lit d'hôpital est abandonné même si je suis là, comme un « je suis » avec de la mémoire et un « je suis » avec un cœur et des buts. Ma bouche est refermée, presque distendue (la douleur ayant laissé ses vestiges).

Il y a une personne tout à côté de moi, une seule personne. Geneviève. Tout le monde m'avait déjà fui, quitté, laissé en plan.

La main de Geneviève est dans la mienne, recueille la froideur tranquille qui s'installe dans mon corps. Une main criblée de calme sincère, de jugements évacués.

À l'époque de mon adolescence, qui n'a été que turbulence et rancœur, je ne me suis jamais évanoui lorsque j'aurai dû. Je n'étais qu'un délinquant ambulant, un petit mégalomane enflé par ses rêves innocents. En somme, j'ai réussi, après beaucoup d'efforts, à devenir une personne irrésistiblement antipathique. Ma fougue et mon franc-parler m'ont permis d'embrigader tout le monde. Fabuleux équilibriste de la parole, j'aspirais à plus et j'obtenais rapidement ce « plus » désiré. Je demandais et je recevais.

Dans la cour d'école, ma haute stature m'évitait des bagarres et la peur que j'instillais chez les autres faisait le reste. La politesse est d'abord un souci de protocole. Mais l'exquise politesse est le résultat d'une campagne de peur généralisée. La déférence est le symptôme de la peur. J'inspirais la déférence. On était poli avec moi, on ne me manquait jamais de respect. À cette époque, je comprenais mal ce que voulait dire le mot « ridicule » puisque ce concept m'était étranger. Comment agir spontanément afin que les autres me diminuent ou m'humilient ? Comment se comporter en public pour perdre toute prestance, pour égratigner ne serait-ce qu'une partie du vernis de respectabilité dont j'étais enduit ? Tel un tableau précieux, protégé et restauré par une équipe d'aficionados, la plupart des gens avaient pris l'habitude de me considérer. Je ne les décevais pas. L'engouement que je générais était donc contagieux.

Emporté littéralement par cette vague de fond, cette lame sans fin, j'allai au plus pressé, je m'occupai de moi : je fis tout pour cristalliser cette popularité. Il fallait que je trouve un moyen de justifier mon rayonnement en me consacrant à une activité artistique quelconque, n'importe quoi pourvu qu'il s'agisse de trôner sur une scène, d'être en possession d'un micro ou d'avoir l'attention d'une salle comble.

Le théâtre. On remarqua mon talent naturel dès les premières auditions et je m'inscrivis donc à l'une des meilleures écoles du pays. J'entrepris des études théâtrales. Les années d'apprentissage s'envolèrent, encore mieux que la plus migratoire des espèces à la soudaine baisse de température.

J'enfilai les rôles à la télévision et au théâtre. Parmi la douzaine d'étudiants qui avaient terminé la formation usuelle, je me retrouvai au nombre des favoris. Je ne sais trop ce qui a plu chez moi. La stature, le charisme, cette assurance séduisante. J'étais confus. Le brouhaha du hasard, des rencontres, des œillades prenait maintenant le dessus sur la constante de ma vie. Dès que les yeux de la majorité écumèrent mon corps, s'égayèrent de mon image, les émissions populaires et les émissions culturelles s'accaparèrent mon numéro de téléphone.

On fit de ma personne la coqueluche du mois, puis la saveur de l'été, puis petit à petit un acteur de la relève, une icône de qualité artistique, sollicité par les recherchistes de tout acabit. Lorsque j'achetai le premier magazine avec ma photo en page couverture, je me sentis différent. Pendant un instant, j'ai cru à cette histoire de destin, à la grâce, à toutes ces balivernes mystiques qui confortent les croyants. Dans les abysses de mon secret intérieur, je concoctais les mélanges prémonitoires requis. J'étais né un jour du mois de novembre et, après consultation du dictionnaire des saints, je découvris que je portais le nom du saint du jour. En France, donc, mon anniversaire aurait coïncidé avec la date de ma fête. Ici, une quelconque bienveillance céleste avait contribué à ajouter une aura de prédestination à ma naissance. Sans révéler ces égarements délictueux à qui que ce soit, je ne me persuadais pas moins qu'une étincelle de vérité couronnait mon arrivée au monde. Plus tard, je compris. Plus tard, la vérité fit marche arrière. Plusieurs années furent nécessaire à la lucidité pour se frayer un chemin jusqu'à moi. Sous ce voile d'un égoïsme primaire, sous ces fantasmes d'élection morbides se cachait ma peur irrépressible de déplaire.

J'accumulai les succès. Mon assurance des débuts, ma gouaille d'adolescent se maquillèrent tranquillement en fébrilité morbide. L'idée de tout réussir, cette crédulité des troupes, cet enthousiasme facile des spectateurs m'obnubilaient à un tel point que j'en aurais perdu connaissance si j'avais eu le loisir de me laisser aller à ces émois théâtraux. Mais j'étais trop occupé. Fadaises de sensibles. Je faisais partie du peloton de tête. Je n'avais pas le droit de céder aux atermoiements des moins engagés, des laissés pour compte du milieu. Devoir de paraître, attitude du roi de la montagne. Pas de quartier.

Le désir des gens est une bête curieuse qui se nourrit d'évidences et recrache rapidement l'habitude ou l'ennui. Les os et les arêtes, les visages connus, les figures redondantes sont rivés à leur rôle répétitif de promotion et sont condamnés à tout avouer sinon l'implacable délit qui consiste à conserver une zone cachée, un coin inexploré de leur psyché, de leur passé, de leurs manies les plus ridicules ruinera leur intégrité artistique.

Je me suis fait poursuivre. On a rapidement publié des photos de moi en pleine beuverie, la tête dans une poubelle. Les psychologues amateurs, les organismes de tempérance et les alcooliques anonymes réquisitionnèrent mes coordonnées. Je dus changer de numéro de téléphone à deux reprises. Changement bénin. J'étais toujours à découvert, saucissonné. Je fus pris en état d'ébriété au volant de ma voiture : scandale, émission la plus populaire qui m'appelle, je suis passé au tribunal de Guy A. Lepage, au lynchage public. Je perdis quelques contrats, les plus lucratifs. Je redevins intéressant pour les théâtres d'avant-garde.

Pour mon bonheur, je n'avais pas encore eu le temps de goûter au vibrant plaisir de la richesse, je ne m'étais pas compromis immodérément comme certains, je n'étais pas pauvre non plus. Avec mon agent, je choisis donc d'entreprendre un replis stratégique. Je me fis oublier. Je n'apparus qu'ici et là dans des rôles difficiles, acceptant des contre-emploi, élevant mon jeu à un niveau d'abandon extraordinaire.

Trois années plus tard, mon pari rapporta. Je revins sur la scène publique, sous les projecteurs et dans les commérages des blogs sous la forme d'un acteur intransigeant, transformé. Tout était mieux. Les médias populaires me crurent snobs et les émissions de grande écoute ne s'intéressèrent plus à moi. Je ne pataugeais plus dans le fleuve médiatique, je n'étais plus un pion de la relève, image tendance à souhait, je nageais maintenant seul dans les ruisseaux forestiers, perdu dans la recherche, stigmatisé par mes lubies intellectuelles sur le métier, déprimé tel un mauvais citoyen, bref, j'étais devenu un empêcheur de commanditaires, une vieille savate passée de mode.

Quand un grand réalisateur de Hong Kong me donna un second rôle dans un film qu'il tourna aux États-Unis, une vague de curiosité maladive à mon égard déferla. Le cycle reprit. Des deux côtés de la frontière canadienne, on spécula sur cette décision étonnante. Pourquoi ce grand réalisateur avait-il requis mes services? Mesquineries, surprises, encouragements, défense de mon élection, critique du réalisateur, engouement du public, tout y passa.

L'année suivante, revenu dans le cercle des intimes, réintroduit auprès du public cultivé, on m'offrit un rôle de ténébreux pervers dans une série télévisée onéreuse.

En pleine répétition, je perdis pied et sentis un courant électrique vicieux passer dans mes membres.

Quelques semaines plus tard, on me diagnostiqua une maladie dégénérative rare et fulgurante.

Je tombai dans un état de perplexité inexpressif.

Des amis avaient circulé au milieu de ma vie, quelques-uns avaient suivi les modes, d'autres avaient pris peur, peu d'inconditionnels s'étaient dévoués. Je n'étais pas mieux qu'eux. Nous suivions des orbites elliptiques, croisant d'autres êtres, les quittant aussitôt, dépêchés en d'autres endroits, migrant au gré de nos actions, au gré de nos idéaux, dans l'insoutenable bruit du vent. J'avais été un oiseau traînant son vieux corps de dinosaure.

Dans une vieille série télévisée, dans un vieux conte de Grimm, inspiré de légendes superstitieuses, j'aurais pu comprendre qu'une personne ait daigné m'accompagner à tous moments. C'est pour cette raison que je ne fis aucun cas de la présence continuelle de Geneviève dans ma vie. La pensée magique me soutenait. Mauvais coups, insanités, petite réussite, grand succès, écœuranteries des hebdos, balourdises, crises de vedette, malaise orgueilleux, elle n'avait su prononcer que les mots nécessaires. Elle avait toujours eu la délicatesse de ne pas me juger. Se réservant la part de l'anonymat utile, elle m'avait préservé plusieurs fois d'une honte irrévocable ou de l'indigence la plus gênante.

Sur mon lit de détresse, rongé par la douleur, elle était encore là.

Qu'avais-je accompli pour mériter la présence de cette femme dans ma vie ? Quels avaient été mes bons soins à son égard ? La grande balance du don penchait de son côté. J'aurais pu, tel Antonin Artaud en ange gardien dans le film *Liliom*[1] de Fritz Lang, déposer une étoile de beauté, un cadeau supraterrestre sur le plateau de la balance du Jugement dernier, pour redorer mon blason, m'éviter l'opprobre.

Mais je venais tout juste de mourir, le jour de ma fête, le jour de mon anniversaire. Esseulé tel un vieillard, à trente ans. Goûtant jusque dans mes derniers spasmes la compagnie de ma mère, toujours fidèle, malgré mon exécrable tempérament.

---

[1] *Liliom* (1934), film fantastique de Fritz Lang, avec Charles Boyer, Madeleine Ozeray et plusieurs autres comédiens dont Antonin Artaud.

Scénario de Fritz Lang et Robert Leibmann inspiré de la pièce de Ferenc Molnar. Musique de Franz Waxman. Boyer joue un artiste-rabatteur de cirque (Liliom) à la parole facile qui quitte son métier pour épouser une jeune fille éthérée, Julie (interprétée par Madeleine Ozeray), à la gentillesse surnaturelle. Julie est enceinte et Liliom jubile. Mais Liliom est incapable de trouver de l'argent. Il devient colérique, frappe Julie. Il jouera alors le tout pour le tout mais périra de sa propre main. Au tribunal des anges, on lui imposera de revoir sa vie (extraits de films) afin qu'il change, qu'il cherche à offrir du beau à sa femme, qu'il cesse d'être égoïste et violent. Antonin Artaud, déguisé en aiguiseur de couteaux, viendra recueillir l'étoile filante que Liliom essaie d'offrir à sa fille seize ans plus tard. Liliom semble avoir échoué, puis, in extremis, Julie témoigne à sa fille tout son amour pour cet homme en affirmant avec la plus grande sincérité qu'il ne lui avait infligé aucun mal, qu'il lui avait donné des coups qui ne s'étaient jamais transmutés en douleurs. Cette confession de Julie mérite alors à Liliom le ciel.

Bruno Lemieux

L'envie de la danse

En souvenir de M. G. / 1957-2005

Sur la piste dans le grouillement des corps parmi ceux nombreux qui n'étaient pas nés la première fois que j'ai mis les pieds dans ce bar. Tout est resté semblable, pourtant si différent. Dans le mouvement de la musique mes membres comme ils bougeaient quand j'avais la moitié de mon âge. Rien n'a changé pour moi de l'intérieur malgré la trentaine qui s'achève : saccades ligaments le sang dans les muscles chaleur sur la peau frôlements les yeux mi-clos dans la mitraille du stroboscope, mon corps ne s'est pas trop appesanti ni ma peau ridée ni mes cheveux devenus gris. Pourtant je suis invisible ici sans plus d'amis pour qui exister en ces catacombes sonorisées où je suis venu ce soir.

Près des haut-parleurs ça rugit en version techno-garage «... *à midi ou à minuit / Il y a tout ce que vous voulez aux Champs-Élysées* ». Reprise tonique d'un groupe que je ne connais pas. Je danse. La piste est envahie de jeunes filles s'y ruent des gars se mettent à sauter sur place. Je monte descends sur mes jambes-pistons. «*J'ai rendez-vous dans un sous-sol avec des fous / Qui vivent la guitare à la main...* » Une image me zèbre l'esprit. Éclats tungstène des souvenirs mêlés au feu des projecteurs sur les corps qui se trémoussent, fragments d'histoires qui s'entremêlent. M. et moi dans ce même bar, quinze ans plus tôt, à crier pour nous comprendre à boire de la bière à lire sur les lèvres les mots qui se perdent dans cet aquarium sonore, nos oreilles écoutilles submergées par la « basse », «... *gui-*

tare à la main, du soir au matin / Alors je t'ai accompagnée, on a chanté, on a dansé. »

Quand elle est morte, M. avait déjà commencé à disparaître, elle n'avait plus mangé depuis longtemps et perdu sa chevelure. La maladie et la souffrance avaient remodelé son être que l'on sentait à la fois outrageusement usé et rajeuni à la fois. M. avait cessé de vivre dans la nuit et délivrée enfin détendue elle reposait sur son lit sans y toucher vraiment, aurait-on pu croire, comme si le mal qui l'accablait désormais disparu avait pesé plus lourd encore que ce qui restait de son corps. Les infirmières de la maison de soins palliatifs avaient fait sa toilette et toute mignonne dans sa robe cousue de paillettes minuscules, dans sa robe qui laissait voir ses bras marqués par tant d'injections elle avait l'air d'une Belle au bois dormant postmoderne.

Dans le soubresaut de la danse, de courts moments m'échappent. Je goûte cet oubli de moi-même par intermittence, autant de petites brèches dans la lucidité. Ces instants d'inconscience et d'instinct où mon corps maintient son équilibre malgré la brusquerie tribale des gestes : désarticulations des bras torsions du tronc écarts des jambes, ces changements de posture m'envoûtent, ivresse du déséquilibre plus vive que l'enivrement même.

Je vois le bar quasi désert, quelques personnes tout au plus jouent au billard ou discutent, peut-être des gens rient-ils que je ne vois pas. C'est dimanche soudainement, un dimanche soir d'automne après le cinéma et M. est assise à une table la musique plus assourdie, c'est peut-être du jazz ou un soft-rock aux teintes lyriques. Imaginons que c'est « On Every Street » de Dire Straits. Je suis assis près d'elle et comme nous le faisions à cette époque nous buvons des Mojitos, doubles. C'était toujours deux pour un le dimanche soir alors nous buvions des doubles en parlant du film que nous venions de voir, nous rejouant des scènes en inventant les répliques qui selon nous manquaient, modifiant le montage, parfois le casting. Dans la pénombre enfumée du bar, je suis assis près d'elle, mais la musique est trop forte maintenant et je n'entends plus ce que nous nous disions. Je reviens à moi, seul dans le grouillement de la foule. J'abandonne mes bras, mes jambes à d'étranges saccades mon cou se rompt presque ma tête que j'échappe mon front comme s'il frappait le mur. Le sang bat à mes tempes la sueur l'essoufflement que je transforme provoque, l'overdose d'oxygène qui me guette la bouche ouverte à pomper l'air moite comme un cheval emballé sur la piste. Je vois double je peux m'effondrer je m'en fous.

Dans l'autocar. Pourquoi cette image plutôt qu'une autre, l'autocar. Derrière la vitre les poutrelles du pont Champlain le néon « Five Roses » des silos le centre-ville défile comme un décor une trame sonore dans mes écouteurs. Ce matin-là, j'étais passé chez elle avant de partir. Sur la console de l'entrée des enveloppes décachetées des comptes à payer des formulaires pour les assurances. Quelqu'un du CLSC devait venir alors elle attendait. Sur la table à café du salon des piles de livres et des bouteilles de pilules composaient un étrange échiquier. M. avait écrit sur un bloc-notes ce qu'elle ne voulait pas oublier sur une feuille à part, une esquisse nouvelle. Son visage était triste malgré le sourire détendu qu'elle avait souvent après l'injection, elle souriait comme une fée fatiguée et semblait voir un halo autour des choses. J'avais préparé la seringue, ça la reposait de ne pas devoir le faire. Je lui dis que je passerais la journée à Montréal pour changer d'air, une expo au musée, puis *Kakfa* peut-être au TNM – silence pendant que je la shoote – que je l'emmènerais avec moi dans ma tête, et qu'elle pourrait voir par mes yeux. Sherbrooke. Magog. L'autoroute 10. Le car remonte la rue Berri. Terminus. Je pense d'une façon nouvelle depuis que le cancer l'use et la confine. La maladie fait corps avec elle, amaigrissement chute des cheveux repousse rechute rémission. Tremblements des membres piqués percés meurtrissures des bras pâlis durcis les veines éclatées tout ça pareil au marbre de Carrare. Et ses yeux vert d'eau s'agrandissent au milieu d'un visage à la fois celui d'un vieillard et d'un enfant à naître, comme on en voit dans les pages du *Science & Vie*. Sur le pas de la porte alors que je lui souhaitais une bonne journée, M. m'avait dit de ne choisir qu'une seule œuvre, que tout le musée c'était trop. Puis elle avait demandé que je lui rapporte des toiles vierges des petites et du blanc de titane. J'allais choisir une œuvre pour elle, une salle peut-être si ça valait vraiment la peine, dont j'allais apprendre par cœur les formes et les couleurs pour tout lui décrire au retour.

« Paysages manufacturés », ç'avait été ça que je lui avais raconté. Une série de photos grand format. Des mines, résidus toxiques des usines abandonnées, des cimetières d'objets. Les eaux de ruissellement charriant les pigments du monde industrialisé salissures ocre rouille émeraude cyan, des eaux ferrugineuses chargées de solvant de biphényles polychlorés d'huile usée. Toute cette eau pour laver la pierre et les métaux tirés du sol faisant des villes fières les édifices les automobiles les trains métros avions cargos de toutes les mouvances. Les femmes et les hommes de ce siècle naissant dont les pupilles s'arrêtent sur les clichés, ce siècle vieux déjà de la fatigue et des égarements du siècle dernier dans l'écho des salles du Musée d'art contemporain. Et je portais le corps meurtri de M. en mon regard même posé sur ces images pourtant si belles de la ruine du monde : stries noires irrégulières des carrières de granit du Vermont montagnes défaites amoncellements de pneus fertiles en promesses d'incendies ravageurs, fumées à venir au milieu des champs en jachère et qui satureront de suie les bronchioles des enfants et leurs mères se demanderont pourquoi – pourquoi – carcasses de voitures rompues pressées en blocs multicolores avec lesquels s'érigent des murs délirants à la lisière des arbres défoliés leurs branches nues dans le vent pareilles à des battements de cils, carcasses des cargos sous le chalumeau des ouvriers du Cambodge les découpent en tranches après qu'ils eussent fait cent mille fois le tour de la Terre portant l'Afrique et l'Asie dans leurs flancs jusqu'aux îles obèses qu'enfante un Occident en quête de sens, les fins d'après-midi dans les cours d'école dans les commerces des villes pareilles dans les bouchons des autoroutes dans le coffre arrière des voitures cette profusion empaquetée dans le plastique et le carton des bananes à 67 ¢ le kilo et du café des oranges des bouteilles de vin pour le repas du soir des quartiers d'agneau de Nouvelle-Zélande des saumons entiers fumés nitrite de sodium n'ajouter que de l'eau et faire chauffer des bâtons de golf des robes de Barbie un pyjama à l'effigie de Spider Man des patins à roues alignées des DVD de contrebande du Coke diète un téléphone cellulaire qui sonne – merde! pourquoi l'ai-je laissé dans mon attaché-case, pourquoi l'ai-je mis dans le coffre je vais être en retard. C'est ce que me disent toutes ces photos alors que je les regarde, que j'en scrute les détails pendant que M. restée chez elle espère sans doute ne pas retourner à l'hôpital. C'est ce que je lui dirai, que les photos d'Edward Burtynsky sont des photos qui hurlent.

Las du rythme je me fraie un passage vers le bar, j'ai soif « *Let me please introduce myself / I'm a man of wealth and taste / And I laid traps for troubadours / Who get killed before…* ». Le cadran luminescent de ma montre lance son faisceau bleu. Des années depuis que je suis venu dans ce bar et le D.J. – un autre D.J. – joue « Sympathy For The Devil » au tournant de minuit, tout comme avant. Je souris je bois reprends ma cadence « *Ooo, who, who / Oh yeah / What's my name / Tell me, baby, what's my name…* ».

En sortant du TNM j'avais pris le car de 23h30 pour rentrer et j'étais arrivé tard chez moi. Sur le répondeur sa voix disait qu'elle repartait pour l'hôpital avec sa sœur, que sa température frôlait les 40° C, que les vomissements l'épuisaient. Puis d'une voix contrefaite et lasse elle avait ajouté comme au temps où nous jouions aux films de Rohmer « *J'sais pas quoi faire, j'sais pas ce que j'vais faire…* ». Il me semble l'entendre alors que je danse, je ferme les yeux bouge plus lentement et je vois son visage apparaître sur le revers de mes paupières mais parfois tout reste flou. Ça ne dure pas longtemps, quelques instants à peine et l'image revient. Ça me donne le vertige j'ai peur d'en arriver un jour à oublier ce qui la faisait « elle », d'être condamné aux photos pour me la rappeler. Puis je me dis que c'est impossible que ça n'ira pas jusque-là.

Dans le sac que je transportais il y avait le programme de *Kafka* et le dépliant du musée, une biographie d'André Breton, des pinceaux, du blanc de titane, trois toiles sur cadre, des bonbons au beurre et une demi-bouteille de Chablis. J'avais traversé le stationnement du CHUS en prenant de grandes inspirations que je relâchais par coups secs puis j'étais entré dans le hall d'un pas pesant j'avais emprunté l'escalier pour retrouver le corridor du septième étage. M. était dans son lit, je me rappelle son grand pyjama de soie. Je la regarde avant d'entrer, assise dans son lit occupée à peindre pour chasser l'angoisse faisant jaillir sur ses vêtements et les draps de petites constellations de couleur. Une toile déjà en ce début d'après-midi ; des rectangles vifs éclairent un fond sombre jaune rouge vert en transparence dans le noir. Une préposée sort de la chambre au moment où j'y entre. Je suis de retour auprès de M. qui me semble plus petite encore que le jour d'avant. Elle a su au matin que le traitement de chimio n'a pas fonctionné, que l'occlusion, que le cancer, que. Ses yeux lui mangent le visage. C'est ce qui s'était passé ce jour-là. Elle avait murmuré « Nue, c'est Auschwitz. »

Le levine qu'on lui avait installé barrait le bas de son visage et passant par le nez puis la gorge drainait son abdomen. On est restés à se regarder un long moment avant que j'aille chercher de la glace au bout du corridor, il y avait une machine distributrice, j'ai acheté un sac de chips au barbecue, mis la bouteille dans la glace et défait les paquets. Pendant ce temps M. répétait les mots de l'oncologue. J'ai débouché le Chablis, lui en ai versé un peu. Le temps a ralenti sa course et je me suis assis en tailleur face à elle dans son lit malgré le règlement. Comme elle ne pouvait pas manger M. avait léché quelques chips. Elle léchait les chips pour avoir dans la bouche autre chose que le goût métallique des médicaments. Ensuite, tassant le tube gastrique qui lui sortait du nez, elle prenait de petites gorgées aussitôt pompées. Au moins le goût du vin, la sensation, le sentiment de vivre. « Il n'y aura plus de M. bientôt. » Elle avait dit ça en me pressant les mains. Je regarde son visage son cou les os saillants de ses clavicules, je regarde la poitrine qu'elle n'a plus et je repense aux fois déjà lointaines de nos corps, de ses formes pleines, mon sexe durci contre elle. Devinant mon trouble elle avait rajouté en un étonnant sourire « Mon cadavre sera exquis, j'en suis convaincue. »

Je bouge toujours suivant le rythme noyé de sueur et de décibels, mais avant d'être ici avant d'en avoir eu l'idée je suis allé au cimetière malgré l'heure tardive et la clôture à que j'ai dû escalader. J'ai balayé de la main les feuilles mortes qui étaient sur la pierre de M. et j'ai suivi du doigt les sillons qui forment les lettres de son nom. Agenouillé dans l'herbe mouillée sur le sol froid j'ai senti monter cette envie, l'envie de la danse et je suis venu dans ce bar où nous venions. Je suis au milieu de la masse compacte des jeunes gens qui se trémoussent sur la piste. Je soulève mes bras mes jambes les projette les retiens, je me soûle du mouvement qui me traverse. Me montent des larmes mais je danse. Je m'essuie les yeux du revers des mains je presse sur mes paupières fermées à travers elles sur mes globes oculaires des taches de couleurs apparaissent, forment une image vive et c'est elle que je vois, M. dans une robe moirée noire au vaste décolleté elle est légèrement penchée ses mains sont jointes sur ses genoux à peine fléchis pour maintenir son équilibre elle rejette un peu la tête vers l'arrière de trois quarts ses cheveux sont ceux de Marilyn Monroe dans *Sept ans de réflexion* elle esquisse un sourire mi-apeuré mi-enjôleur comme si elle posait si elle cherchait l'œil du photographe sa complicité sa bouche est rouge ses yeux sont maquillés de noir et l'éclairage – je presse plus fort encore sur mes yeux kaléidoscopes pour ne pas perdre l'image – l'éclairage à la fois de face et en contre-plongée jette sur elle une lumière dorée lui donne un aspect irréel comme si elle était en apesanteur elle semble flotter au-dessus du commun à la manière de la madone de la Guadeloupe en ce lieu où je danse, je reconnais un signe de sa présence et je sais désormais que je la porte en moi. Quand j'ouvre les yeux, j'ai repoussé ma peine.

HÉLÈNE LÉPINE

Diego, Inès

Chers vous,

En 1976, je vous laissais. Là où je me trouve depuis, et seul, j'ai pu prendre le temps de vous imaginer grandir, parvenir à cette même trentaine que j'avais au moment de mon départ. On ne vous a jamais trop parlé de moi. Accepterez-vous de me lire maintenant? Taisez votre réponse, j'écris sans espérer le pardon. La tendresse étouffée menace mon souffle court. Toutes ces années, vous m'en aurez voulu. Toutes ces années, j'aurai pleuré l'écroulement d'une famille.

Toi Inès, enfant tu explorais le monde du bout des doigts. La soie d'un pétale, l'ardeur d'un jaune, le rêche de mes joues le matin. Souvent je te prenais dans mes bras, à l'aube, et nous allions marcher le long de la grève, vers les rochers, pour rejoindre le soleil au-dessus d'eux, l'attraper avant qu'il ne nous échappe. Tu rêvais de le toucher, il t'échappait toujours, et tu martelais ma poitrine de tes petits poings rageurs. Je te déposais et je courais vers la mer. Je t'échappais à mon tour. J'entrais dans l'eau si froide, je reculais, tu m'attrapais. Ton soleil de pantomime. Tes doigts creusaient le sable pour y enfouir mes pieds transis.

Tout toi s'écrivait déjà dans tes gestes. J'y lisais ta ferveur, ta foi aveugle, ton goût des frontières repoussées, de l'Ultreia, le « Plus oultre » des pèlerins. Les détours prudents, tu les ignorerais, bien sûr. Quand je suis parti, j'ai commencé à craindre pour toi. Tu me ressemblais trop. À trente ans, après tant d'actes de foi aveugle, j'ai moi-même vacillé au bord du gouffre et ne m'en suis jamais remis. J'ai peur et je ne devrais pas, tu auras su gravir les falaises, vers tes soleils, sans qu'ils ne t'échappent.

Diego, j'ai le style compassé des anciens, diras-tu, sans vie, comme ton père, mort à ton souvenir. Tu as raison. Sans vous, une part de moi est demeurée éteinte. Il y a trente ans, c'était la fin brutale du rêve, le début des silences imposés, du purgatoire après l'enfer. Depuis que j'ai quitté le pays, rien n'a vraiment ranimé mes mots, ils peinent à se dire. Si je tente de les aligner ici, c'est que le Vieux va mourir. Avec lui s'évanouiront peut-être les cauchemars de mes nuits, mes jours. Malgré l'exil et le temps écoulé, je suis toujours détenu dans ce stade de Santiago, avec mes camarades, glacé de terreur, terreur d'être ficelé, dépecé, grillé à la broche.

Le Vieux va mourir sans savoir que je t'ai perdu, peut-être à jamais. Il a sabré nos vies de fervents. Avec ses chacals aux abois. J'ai longtemps résisté à leurs regards sauvages, avant que la terreur ne se distille en moi. Dans le stade, tous ces soldats campés sur leurs pieds bottés, jambes tendues, prêtes aux coups, et devant eux, les prisonniers forcés de courber l'échine. Cela me rappelait une série d'images de l'encyclopédie longuement feuilletée, les jours de pluie, dans la maison familiale près de Valparaíso où tu habites maintenant, Diego. Dans cette séquence, on voit le grand singe à toutes les étapes de son évolution vers la station debout, sa mutation progressive. À la dernière image, il ressemble tragiquement à l'homme. Debout dans l'arène du stade, ces militaires faussement humains lui ressemblaient pourtant. Et lorsqu'ils se mettaient à rôder autour de nous, chacun perdait peu à peu sa contenance d'homme ou de femme. Menton rentré, nuque à découvert, dos voûté, mains inutiles. Je revoyais la séquence de l'encyclopédie à rebours. Enfin, quand impatients, énervés à force de traquer sans toucher, les soldats choisissaient une proie, les genoux de celle-ci s'entrechoquaient ou fléchissaient, un instant à peine. Le déclic pour les bêtes à l'affût. Ils la saisissaient aussitôt, et s'acharnaient sur elle, jusqu'à la cassure.

Diego, je vis à l'envers de vous. L'hiver ici, l'été là-bas, toujours déphasé. J'ai quitté vos saisons et les saisons de vos âges, j'ai raté vos printemps. Il y a peu, j'ai appris que tu allais être père. À trente ans, toi aussi. Cet enfant fera de ta vie un été perpétuel. Même si tu ne peux pas le concevoir, vous avez été cela pour moi, dans la grisaille de ma vie d'exilé, contre toutes apparences.

J'ose à peine te parler du bonheur de toucher un enfant, sa peau, les pieds minuscules, remonter vers les cuisses dodues, le tronc toujours surprenant, si costaud, effleurer les joues, admirer la bouche, les yeux, passer les doigts sur le crâne duveté, craindre, craindre. L'insupportable vulnérabilité du tout-petit. Le regard doit revenir se poser sur le torse pour retrouver la promesse d'une solidité à venir. Étreindre un enfant, t'étreindre Diego, a été pour moi le souvenir le plus vif au pire de la torture, la sève indispensable où hivernaient des promesses d'avenir. Je m'y suis accroché.

Je ne savais pas l'homme aussi fragile que le nouveau-né. Les hommes du Vieux m'ont harcelé, ont siphonné toute ma vigueur. Après le stade et le centre de détention, une fois relâché, je n'ai jamais retrouvé la force ni le courage de vous soulever de terre, Inès et toi, de trotter vers les rochers avec vous, l'un rivé à ma hanche, l'autre sur mes épaules, de poursuivre le crabe fuyant sur le sable, de jouer les déboussolés pour consoler vos chagrins, de m'approcher de votre mère, vaincue elle aussi, dans le creux de la nuit.

Le Vieux agonise. Dans un lit. Ce qu'il nous a refusé les premières semaines. Une simple couche pour soutenir le corps meurtri, rompu, la tête désaxée. Une couche même sans draps, avec la seule couverture poisseuse offerte par des organismes humanitaires aux détenus de septembre. On dit que les chevaux savent dormir debout. J'ai si souvent pensé à eux la nuit, sur mes jambes tremblantes, alors que lui dormait déjà dans un lit princier, satisfait d'avoir su mater les hérétiques et renvoyer les justes à leur sommeil de sourds.

Diego, Inès, quand l'amour a sombré sous les coups du sort, votre mère aussi s'est plongée dans le silence. Puis, elle s'est évadée à sa façon de la prison de la peur. Elle a blanchi à la chaux le pan des souvenirs d'enfer. J'ai disparu dans les lézardes de son passé douloureux. Je vous ai quittés tous les trois pour ne pas faire tache noire sur cette toile claire qu'elle s'appliquait à couvrir bien vite de motifs joyeux. Je devais y figurer et je me suis dérobé. Inès, Diego, j'aurais tout brouillé, tout gâché. Elle m'en aurait tellement voulu. La fin de l'amour avait suffi, il ne fallait pas plus grand malheur.

Inès, j'ai su que tu l'as soignée pendant les longs mois de maladie cruelle. Elle m'a décrit tes gestes. Soutenir le corps fragile à l'heure de la soif, masser les jambes et les pieds ankylosés, caresser le crâne duveteux. Des gestes de début et de fin de vie. Ils lui ont rappelé ses propres gestes au faîte de nos trente ans, quand l'enfant arrive et transforme l'insouciance des amants en béatitude devant la vie si frêle, si forte. Elle m'a alors appelé et nous avons souvent parlé, jusqu'à la fin, tendrement. Grâce à tes gestes, Inès. Ils nous ont ramenés au cœur de ces moments d'extrême délicatesse, dans la quintessence des souvenirs heureux.

Sa voix me manque. Sa voix et les récits qu'elle me faisait de vos aventures. Sa voix et ses silences des dernières semaines. Elle souffrait tant. J'essayais de traduire la douceur de tes gestes en chaleur dans ma voix, au bout du fil. Cela m'était difficile. Dans ce pays où je vis, l'hiver renforce la solitude des esseulés et gèle la langue des affections.

Diego, Inès, vous m'avez manqué chaque jour de toutes ces années. Une certaine renaissance s'est amorcée, elle déjoue mon silence, éveille les mots. Serait-ce que, de l'agonie du Vieux, puisse sourdre un printemps ? Je veux vous dire que je vous aime.

Votre père.

P.-S. : Au moment où je me décide enfin à vous expédier cette lettre, j'apprends que le vieux loup est mort. Enterrez les chacals avec lui.

Tristan Malavoy-Racine

La théorie et la pratique

Big crunch, big chill. En 2007, les extrapolations les plus sérieuses relatives à la fin du cosmos balancent entre les deux. À l'autre bout de la grande histoire ouverte par le big bang, il y a treize milliards d'années et des poussières, il y aurait en effet ces deux éventualités.

Big crunch : la structure espace-temps de l'univers, parce que les lois de la gravité, à une échelle plus grande que l'imaginable, conduisent ce dernier à un lent mais inéluctable affaissement, notre Voie lactée et les millions d'autres galaxies, au terme d'un vaste mouvement s'apparentant à celui d'une bulle de chewing-gum qui éclaterait au ralenti pour se coller sur elle-même, vont s'agglutiner en un magma où même le temps finira par s'éteindre.

Big chill : la force gravitationnelle à l'œuvre dans l'univers n'atteint pas la valeur critique nécessaire à l'engendrement de cet ultime recroquevillement sidéral, et toute la matière cosmique va poursuivre son expansion jusqu'à s'éparpiller complètement, jusqu'au calme absolu, le grand sablier ayant renversé son sable sur tant d'années-lumière qu'il cessera de s'écouler à jamais.

J'ai trente ans et des poussières. J'ai cet âge dont on dit qu'il est le terme de la jeunesse sans pour autant être le début de la vieillesse. Étrange entre-deux, fait d'élans encore juvéniles et d'esquisses de bilan ; d'instants de panique à l'idée d'avoir avancé stupidement certaines pièces sur l'échiquier de sa vie et de périodes moins inquiètes, où l'on se dit qu'avec un peu de chance, il y a encore pas mal de matins devant. Et surtout que les satisfactions de l'ego ne sont pas le seul étalon à partir duquel mesurer l'intérêt d'une existence. Autrement dit, je n'ai plus vingt ans.

Je songe à Hubert Reeves, qui nous rappelle souvent que nous sommes faits de la même matière que les étoiles. Très exactement. Je me dis que cela nous confère quelque chose de majestueux, d'ouvert, comme une consolation ; que dans un même ensemble comprenant la scène de ruelle qui a coûté la vie à un gamin de 14 ans, la semaine dernière dans Montréal-Nord, il y a les arabesques folles de la nébuleuse d'Orion, ces draps dont chaque maille pourrait laisser passer notre Soleil.

Je me dis aussi que cette origine commune de notre matière initiale est au fond la seule justice. Que ce qui fait les yeux bleus plutôt que noirs, la peau blanche plutôt que rouge, ne représente qu'une menue inflexion dans l'évolution d'organismes de natures identiques. Et surtout, qu'il n'y a que l'ombre du début d'un iota stellaire de distance entre le banquier gras cultivant son cancer de la peau cigare et sourire aux lèvres, sur un yacht bahamien, et la fillette barbouillée qui ne connaît de la Terre que les amoncellements toxiques des dépotoirs de Manille.

A fortiori, j'ajoute que ce qui change au creux de la conscience, entre la tendre enfance et la trentaine, appartient également au champ des menues inflexions, et que nous avons beau nous sentir parfaitement étranger à ce que nous avons déjà été, nous n'en sommes jamais bien loin. L'autre jour, peu avant ses trois printemps, mon Émile m'a demandé le plus sérieusement du monde : « Papa, quand est-ce que Peter Pan va m'apprendre à voler ? » À ce moment précis, qu'elle était la différence entre lui et moi, entre ce petit d'homme formulant avec conviction le souhait que des millions d'autres ont porté avant lui, pas même effleuré par la question « est-ce possible ? », et moi, sachant ce que je sais, représentant bien involontaire de tous les Icare s'étant un jour frotté à leurs limites ? Presque rien. Une expérience passée chez moi et à venir pour lui, sans plus. « Il attend que tes ailes aient poussé encore un peu », ai-je répondu, ou quelque chose du genre, comme pour soustraire un moment son projet aux lois de la physique.

Je songe à la relativité du temps. Aux thèses d'Einstein, mais surtout aux interprétations amusées que l'on peut en faire. Tous ceux nés vers la mi-70 comme moi le disent à qui veut l'entendre, plus encore que les autres, me semble-t-il : le temps passe vite, de plus en plus vite. Et s'il y avait non seulement une réalité de vie derrière cet énoncé passe-partout, mais aussi une dynamique cosmologique ? Et s'il s'était produit dans les structures mêmes de notre voisinage sidéral quelque torsion ayant précipité l'écoulement des heures ? C'est farfelu, je veux bien, mais pas en totale inéquation avec certains modèles à peu près démontrés. Une chose est sûre, notre espèce ne peut plus considérer le temps comme une valeur stable et prévisible. Nous savons qu'il est l'un des paramètres premiers de l'univers, tout aussi fluctuant que les autres.

Je termine ces jours-ci une grosse brique de SF, *L'Étoile de Pandore*, de l'auteur anglais Peter F. Hamilton. Un space opera dans les règles de cet art, plus divertissant que métaphysique, mais qui pose la question de la vie éternelle – parenthèse : je fais partie de ces lecteurs qui ont tous les âges à la fois, irrémédiablement, et ma table de chevet est encore un savant mélange des genres où Fantasio côtoie Pascal, un dictionnaire des mots d'esprit, le dernier Murakami et quelques poèmes. Chez Hamilton, disais-je, la vie éternelle est quasi atteinte, grâce à ces rajeunissements que subissent les humains, tous les vingt ou trente ans, traitements ultrasophistiqués permettant une régénération complète des tissus et des organes. Les vies ne durent plus 75 ou 77 ans mais des millénaires. Avec toutes les conséquences imaginables. Ceux qui peuvent se le permettre prennent des vacances non plus de deux semaines mais d'une décennie ou deux ; les couples signent une entente conjugale d'une durée définie, puisque personne ne s'évertue plus à faire rimer amour avec toujours, et ainsi de suite.

Big chill, big crunch. Je suis à la mi-temps de ma vie, un peu moins peut-être, comme l'univers est à la mi-temps de la sienne, un peu moins sans doute. Qu'est-ce qui m'attend ? Big chill : je vais vivre assez longtemps pour que soient commercialisées des cures efficientes contre le cancer, l'Alzheimer, l'infarctus et autres AVC ; je vais entrer dans cette nouvelle ère où les êtres pourront étirer leur passage ici-bas pendant des siècles, jusqu'à un épuise-ment doux des plus résistantes composantes de l'orga-nisme. Big crunch : un de ces quatre, la grande bulle de chewing-gum de mon existence va cesser d'enfler pour se rabattre sur elle-même, tous mes rêves, mes amours et les échappées belles de ma jeunesse bientôt condensés en un silencieux petit point opaque, résidu de souffle posé con-tre l'infini.

De si en si, je vais finir par mettre l'univers dans une bouteille. Ce qui est probablement déjà le cas, du reste – l'univers fourré dans une bouteille, je veux dire, toutes ses petites billes flottant sur une mer indéchiffrable. Mais ces géniales théories vont devoir attendre un peu : Émile vient de me sauter dessus, les bras étirés comme des ailes d'avion, décollage imminent…

ÉRIC McCOMBER

La gicleuse

Tout à coup :

— Soy el diablo ! EL DIABLO ! Puta !

Bon. Ça y est. Y remet ça. Ça faisait au moins trois jours. Je regarde l'horloge. Je cale mon verre. Je rallume le Cohiba qui traîne depuis une heure dans le cendrier. J'inspire bien la douce fumée.

— Mannké moi dé respek ! Tou mannké moi dé RESPEK ! Monntréal ! Monntréal-est ! Monntréal-est ! RESPEK !

3 h 40 du mat. Il est juste là, sur son balcon, devant ma fenêtre. À deux mètres cinq de mes oreilles. Il hurle. Il boit trois bières et c'est fini ! Faut dire qu'avec son mètre quarante en talons, il n'a sûrement pas un métabolisme de rugbyman !

— Sé qué yé faite ! Yé souis le diable ! Danne la jongle ! EL DIABLO ! SAAAAN SALVADOOOR ! Mannké dé respek ! MONNTRÉAL !

Ensuite, règle générale, il fait des bruits. Mélange de toux expectorante, borborygmes gutturaux, chants territoriaux agressifs à l'endroit des chats de la cour.

— Eurk !

Et puis :

— Aéurgrugrugrgeurk ! Pshshsht !

Ensuite :

— Rauauauaghghfffft ! Pshhht ! DIABLO !

Vous marchez dans la rue à Montréal et vous voyez des squelettes de vélos, accrochés aux poteaux des panneaux de stationnement. Il reste une roue, un cadre, la moitié d'un bout de reste de vestige. C'est el Diablo. Il

attache à son escalier de secours de trois à huit de ces carcasses de bicyclettes, arrachées à la scie, à la clé Allen, à la
pince… Tout ce qui peut se piquer. Sièges, guidons,
dérailleurs. Il a onze cadenas ! Une fois par semaine, le
samedi, il se lève tôt et monte un vélo complet à partir de
ses morceaux. Plus tard, un client, toujours un latino,
passe. Essaie. Achète. Ciao amigo ! Cinquante piasses…
Trente piasses… Pas de quoi devenir Bill Gates en un été !
Ces soirs-là, il boit. Ensuite, on apprend tout. Tout ce qui
est censé tenir sous la chape d'airain. Les jungles. Les tor-
tures. La policia. Les viols. Une histoire nébuleuse avec un
curé. Pas clair.

— POLISS CÂÂLISS ! policia ! poliss pas de cuisse,
cââliss ! Ressster trannkil ! Tranquilo. Pshshht !

Puis il gémit longuement…

— Aaaaahrrrh !… Mujere, mujere ! La niña pequeña !
Pshhht ! SOY EL DIABLO ! Sé que yé faite ! Ay ! Sé qué
yé faite ! DIABLO ! Aeurgrugrugrgeurk ! Pshshsht ! DIA-
BLO !

Je décide de me mettre au lit avec un bon livre. C'est
un soir de grande crise, il se met à marteler la rambarde
de fer de son balcon, puis à piétiner. BONG BONG
BONG. Il sonne le glas. Pleurniche :

— Niña ! Niña pequeña ! DIABLO ! Sé qué yé faite !
DIABLO ! Aeurgrugrugrgeurk ! Pshshs ! Quand yé mon
gun ! AK-47 ! MON GUN ! Yé té touer, gato feyo ! Yé té
touer ! PAM PAM PAM ! Krshshhst.

Les chats se foutent de sa gueule. Personne n'alerte les
autorités. Moi non plus, faut dire. Tout le monde s'en
fout.

Je ferme l'œil. Sommeil inquiet. Je finis par émerger
de mon logement le lendemain, au milieu de l'après-midi.
J'ai pas rendez-vous chez Abou Ouattara, pote ivoirien
qui donne un party surprise pour les 27 ans d'Alexandre.
C'est à Verdun, mais je n'ai pas deux trente sous à frotter
l'un contre l'autre, alors je vais marcher. J'ai vidé ma
bouteille de Laphroaig dans un innocent thermos, que j'ai
glissé dans mon sac. Je pars assez tôt car je veux aller rendre une bonne longue visite à ma vieille Fraisinette qui

habite sur Wellington. Deux mois que je n'ai pas touché un toton. Je suis mûr pour passer par-dessus l'incident. Ce n'était pas la première fois qu'elle me faisait chier, la Fraisinette… Elle insiste, elle s'obstine sur un truc… Un truc qui m'emmerde !… J'aime tout le reste, moi, mais elle obsède !… C'est peut-être anti-casting, vieux jeu, rétro, mais bon. On joue pas dans un film !… En plus, sa manie de mettre des disques second degré !… Ça la fait marrer de faire jouer des cacas comme Steffie Shock, les Cowboys ou Dumas pendant qu'on se touche !… Elle rit sans arrêt ! Moi je décroche. Je perds le fil !… Humiliant ! Castrant ! Grotesque !… Je m'étais bien promis ! Mais deux mois… Deux mois !…

Je sors de chez moi par la cour. Il fait infiniment beau. Gros soleil, petit vent. Nuages frais, épars et paresseux. Je passe entre les deux édifices et j'arrive à un attroupement de mes sympathiques voisins qui discutent des derniers événements. En une semaine, Herr Harper a acheté pour vingt-cinq milliards de dollars de guns. Blindés, Hélicos, Bateaux, etc. Hee-haw cow-boooy !

Devant nous, la piscine municipale est remplie à capacité de petits gamins qui jouent dans l'eau. Tout à coup, des sifflets fusent, c'est la panique, tout le monde sort. Les voisins, qui ont leurs enfants là, s'alarment. Et nous traversons la rue en courant, ordonnant aux voitures de s'arrêter, tant l'urgence nous prend aux tripes. Je sors mon téléphone, prêt à appeler les secours. Nous arrivons à la clôture et, tout en tentant d'apercevoir le noyé, la blessée, le pervers, le déversement toxique, le varan vorace échappé d'un zoo, nous crions aux sauveteurs de nous dire de quoi il retourne. Ils nous répondent tous en même temps, et nous hurlons aussi par-dessus, et donc nous n'entendons rien de la réponse. Les derniers traînards sortent de l'eau et l'évacuation procède rondement. Tous les enfants sont expulsés de la piscine par la porte principale. Les parents courent voir si tout le monde est sauf, les familles se cherchent, certains ne retrouvent pas leur bambin, des enfants hennissent, cédant au climat de panique générale.

Abasourdi, je retraverse la rue en haussant les épaules. Le groupe de bavards se reforme. Plusieurs portent des vêtements camouflage de style desert storm. C'est la grosse mode ! C'est les Chinois, apparemment ! Y a des tonnes de casquettes kaki pour une piasse au magasin à une piasse. Une jeune voisine porte un top hyper serré avec l'inscription ARMY qui lui pète sur les totons. Son mamelon de droite (situé à ma gauche) pointe au milieu de la partie supérieure de la lettre R. Je ne trouve pas l'autre. Perdu quelque part entre le Y et le M. Ou endormi. Bref, n'y a que le toton de droite qui soit au garde-à-vous dans l'Army.

Nous apprenons finalement la raison de l'alerte. Un des sauveteurs aurait entendu du tonnerre. Nous regardons le ciel. Pur azur. Beau fixe. Nous hochons la tête en chœur.

— Prennent aucune chance depuis qu'un enfant a été gravement électrocuté dans une piscine à Saint-Pie-de-Bagot en 1982.

Je me souviens. Première page des journaux de Montréal, le jour même de l'invasion du Liban par Israël (celle de cette année-là). Quelqu'un dit :

— Sont rendus malades ek ça, la sécurité. Y a pus moyen que les enfants fassent la moindre affaire sans qu'on leur mette un casque ou qu'on les enroule dans des cossins. On doit ben dépenser des millions en niaisage de même !

— Le chaud, le frette, l'eau…

— Soleil ! Pluie !

— Vent !

— Arachides !

— Virus du nul !

— Nil !

Une femme lève un index résolu :

— Entéka, j'espère qu'y sont sécuritaires, ces astis d'bateaux de guerre à Harrrpeur !

— Oh, c'est sûr, c'est sûr. D'nos jours, y ont des canons full intelligents. Font pus mal à personne. La bombe tombe dans chambre du terroriste pis a y passe les menottes en y lisant ses droits.

— En anglais ?

— Chus rassurée. Mais j'espère que les ti-bébés z'arabes qu'on va bombarder vont porter leu casques !

Je salue tout le monde de la main.

— Ciao Émile !

— Ba-baye voisin !

Fait chaud. Je marche vers le sud. Le long du parc, au moins quatre automobilistes sont garés, fenêtres de portières fermées, condensation dans les vitres, à se rafraîchir au climatiseur. La chaleur qui sort de leurs pots d'échappement me grille les tibias. Je sens qu'on va peut-être manquer de pétrole, Ô Stephen mein Fuhrer !... Rajoute donc un autre cinq milliards.

Dix rues plus loin, j'ai déjà retrouvé mon enthousiasme. Je sifflote « Outshine the Sun » de Leadbelly. La bonne humeur me sort par tous les trous en même temps !... Au coin d'une rue, trois blondes sur un balcon. Je souris. Suis comme ça !... Elles me saluent !

— Keviiin !

J'envoie la main. Pas certain d'avoir compris ce qu'elles m'ont dit.

— Kess tu fais en ville !? Keviiiin ! Monte ! C'est débarré !

Je tourne le coin comme si je connaissais les lieux, puis je pousse toutes les portes les unes après les autres jusqu'à ce que j'en trouve une qui s'ouvre. J'escalade les marches. Une très grande fille se pointe au palier. Elle tient la porte ouverte. Elle penche la tête de côté et me sourit.

— Kevin.

Elle soupire presque.

— Eh. Eh.

— Ch'te pensais au BC, Kev.

— Eh. Eh.

Je fais mon énigmatique. Puisque je ne connais personne, je la joue a contrario, sûr de moi. J'enlace la grande au bout de la dernière volée de marches. Elle se serre contre moi. Son corps est dur et noueux. La quarantaine gracieuse. Elle me pince une fesse. Bisou. Bisou. Pof pof sur la chute de reins !... Je prends des chances !

— Eeeh, t'es de bonne humeur, Kev !

— Oh yeah, ma belle !

J'entre, je la suis en direction du balcon et des deux autres blondes.

— Tu te souviens de Mapi ?

— Eh. Eh.

Bisous. Bisous. Pof pof. Elle lâche :

— Wow ! Keeevin ! Ça fait ben trois ans que t'es pas venu à nos barbecues ! Hein Diane ?! Pis, quand c'est que t'es revenu ? Pis ta belle Geneviève, tu sors-tu encore avec ?

Je fais signe de la tête.

— Oooh, chus désolée.

C'est la troisième qui a pris la parole. C'est ainsi que j'apprends le dernier nom :

— Come on, Véro, avoue donc que t'es ben contente !

Y a plein de cuisses. Mapi crie à Diane, restée à l'intérieur :

— Didi, amène-moé un autre Cuba Libre, si te plaît.

— J'en sers un gros à Kev. T'aimes toujours ça, Kev ?

— Eh. Eh.

Cuisses. Elles ont entre quarante et cinquante ans. « Who By Fire » joue au salon. Pas réellement jolies, sauf la grande maigrichonne, qui a un visage. L'air est bon. Je me contente de sourire, assis là sur le balcon. Je me contente d'être Kevin. Y a trois chaises. Diane revient. Elle s'assoit à la place de Mapi qui vient de filer aux toilettes. Elle dépose un immense verre près de moi, une chaudière, vraiment !… Toute remplie de liquide noir et pétillant. Y a même une lime qui flotte dedans. Parfait ! Je la marie, celle-là !

— Hasta la victoria siempre !

Je remarque que son visage est séparé en deux parties par une fine cicatrice qui descend de sa chevelure jusqu'à son menton, en longeant l'arête du nez. Coupure de verre, ou de métal. Accident de la route ? Je me dis que Kevin est censé connaître toute l'histoire ou s'en étonner, si c'est récent. Je serai peut-être bientôt démasqué. Je bois plus rapidement. Si on me fout à la porte, j'aurai au moins gagné un Cuba Libre ! Avec le soleil qui décline, juste en ligne droite avec la rue, on dirait que le visage de Diane est celtique d'un côté et nègre de l'autre. C'est… fascinant. Je souris. Je suis Kevin.

— Eh. Eh.

Ça me les rend sympathiques qu'elles disent Cuba Libre plutôt que rhum & coke.

— Viva la revolucíon !

— Côlisse !

Mapi revient et s'assoit tout bonnement sur mes genoux. Sans hésiter, je commence à lui flatter le dos. Elle se cabre imperceptiblement.

— Ça dû t'faire dla peine, pour Geneviève ?! Vous faisiez un esti de beau couple, hein Véro ?!

— Eh. Eh.

Véro rit et prend un air bizarre.

— J'ai le cœur en miettes.

— Oooh.

— Ooh.

— Le cœur en mieeeettes !

— Pauv' ti-chou !

Nous buvons toujours sur le balcon, caressés par les grands bras soyeux du vent du nord, tandis qu'au-dessus de la crête des frises de brique rouge, le soleil de juin s'é-vache, boutant le feu aux vapeurs des cumulus. Je pra-tique une sorte de silence buveur et je souris béatement. Chaque fois qu'une va au petit coin, une autre prend sa chaise. Quand elle revient des chiottes, elle s'assoit sur moi. Elles jouent au genou musical. Je flatte les dos sans distinction. Elles mouillent toutes les trois. Je le sens bien, sur ma jambe. Elles causent de tout et de rien, se donnent des nouvelles de la gagne, ce qui me fournit l'occasion d'en apprendre un peu plus. Je prends bonne note de tout, je recoupe, je classe, je déduis ! Diane démarre le BBQ. Saucisses, cuisses, coulisses…

À mon grand regret, ce n'est non pas Diane qui m'at-tire dans une chambre en fournissant un prétexte, mais plutôt Mapi, la plus entreprenante, mais aussi la moins jolie des trois. Pas grave. Suis pas farouche. Elle veut me montrer la vue de la chambre. De cette fenêtre, on ne voit qu'une horrible publicité de Bell, celle avec les hosties de castors !… Pour moi, c'est clair comme de l'eau de roche et je plonge la main sous son t-shirt. Snip !… Le soutien-gorge se rend sans combattre !

— Hîî hî! d'une main! Kev! T'en as appris des choses, au BC!

Je l'assois sur le bureau et son derrière enfonce une vingtaine de touches du clavier du repoussant PC gris et rouge qui trône là et qui en déduit qu'on lui demande de démarrer Windoze. Je relève sa jupe, lui retire sa marrante bobette blanche de fillette et je commence à manger le petit chaperon rouge, comme dans le conte!...

Ce n'est pas super long, les madames. Elles se connaissent. Juste comme elle jouit, la tête entre l'écran et le modem, les deux autres viennent nous rejoindre.

— Eh. Eh.

— Keviiin!

Je me retire du vagin de Diane, finalement, et je balance la capote sur le plancher. Ça vient de me coûter toutes mes réserves, sauf les Avanti, que je conserve pour les émois.

J'aurais pu jouer le gars qui n'en a pas sur lui, mais j'avais trop peur de me faire mettre une glu au spermicide qui sent le nettoyant à fourneau. Et puis, dix merguez, six chaudières de Cuba Libre et quatre orgasmes, je peux au moins faire ma part, hum? Je m'essuie avec le drap aux motifs africains qui traîne par terre et je m'affale entre Véro et Diane. Véro est couchée à l'envers par rapport à nous et elle me flatte doucement le shublig alors que je ramollis. Diane rigole.

— Chus pas certaine que t'es Kevin!

— Eh. Eh.

Mapi souffle :

— Moi non plus.

Elles ont découvert que j'étais pas Kevin! Sans doute en raison de mon incroyââble technique! De ma performance! J'en ai trop mis! Ou encore elles...

Véro lâche en rigolant :

— Chpensais jamais que ça marcherait.

Diane :

— Vous l'avais dit! Patience!

Mapi :

— On est quand même pas pire ben tombées!

Diane :

— C'est quoi ton vrai nom ?

— Eh. Eh.

— Come on, tu t'es ben rendu compte qu'on se foutait de ta gueule, « Kevin » ?

Le soir est tombé. Je marche sur le trottoir, dans la pénombre électrique de la rue de Maisonneuve. Une grosse minivan grise passe à toute vitesse et applique brutalement les freins à quelques mètres de moi. Ça y est, je me dis. La CIA, la Police montée, le MOSSAD ! Ils viennent me kidnapper !… J'ai toujours rêvé de séjourner quelques jours dans une prison égyptienne, de me faire électrocuter les couilles en Syrie. Une odeur de caoutchouc grillé monte à mes narines. La camionnette n'est pas encore immobilisée que les portières arrières s'ouvrent et deux personnages en sortent, vêtus de survêtements de sport, casquettes de baseball noires rabattues sur les yeux et capuchons sur la tête. Ils se précipitent, non pas sur moi, mais sur le support à vélo situé juste devant. Un des deux hommes manipule une immense paire de pinces aux manches recouverts de ruban gommé. Clic. Clac. Galignedang ! Les cadenas tombent par terre. Clic. Dangnelagne ! Le deuxième homme soulève les vélos de terre, fait trois pas agiles et les projette dans l'embouchure du camion. Clic. Clac. Ding. Et voilà ! Sept vélos ! Disparus ! Avalés ! J'ouvre la bouche pour crier. Les deux larrons s'engouffrent. Démarrage. Pneumatiques brûlés. Choc violent des portières qu'on claque. Je cherche le numéro de plaque. Maculée, la plaque !… De la boue… On voit rien.

— AU VOOOL !

Ils sont déjà à trois coins de rue. Le véhicule tourne à droite. Sept cadenas jonchent le sol. J'aurais voulu qu'El Diablo les voie. Dilettante ! Joli travail de pros. Propre. Pas de pssshht ! Ni de arrrghghgh. Quinze secondes. Sept vélos. Olé.

Ameuté par mon cri, un vieillard très gras sort sur son balcon en sous-vêtements et me voit, tout seul sur le trottoir. Il hausse les épaules et rentre chez lui. Je poursuis ma route.

Ma queue picote. Saloperie de latex !

Je finis par arriver à Verdun. J'ai un bon quatre-cinq minutes de retard, même en annulant ma visite à Fraisinette... De toute façon, c'était lui bouffer sa petite chatte parfumée aux baies des champs qui m'attirait sur son divan ! Et euh, je suis, disons : servi. Rassasié ! Séché. Je compte me tenir à carreau quelques jours.

Une bonne gorgée de mon thermos. Ahh ! Encore un coin de rue. Rue Lesage. Voilà, j'y suis. Merde, je n'avais pas réalisé qu'il habite la rue Lesage. Lesage comme Sabin Lesage, le petit insecte qui a écrit *L'Hécatombe des écureuils albinos*, le hit littératoire kérouaco-joycien de la rentrée, et à qui j'ai promis un réarrangement de la dentition. Je ris sous cape en imaginant mes poings. Bah ! Je chasse ces mauvaises pensées. Rien ne saura faire que je me serai fait chier !... Voilà l'adresse. Je frappe à la porte.

Je suis le premier. On dirait bien que personne n'aime Alexandre ! Abou Ouattara, le type chez qui on fait la fête, s'apprête à partir tout penaud chercher la victime de la kermesse, ses trois kidz, sa femme... En maugréant sa certitude que d'autres arriveraient bientôt. Quarante personnes ont confirmé !

Je reste tout seul avec l'ado du propriétaire des lieux et sa meilleure copine. Deux mini nintendo boulottes. Olga, café-crème, Ivoiro-polonaise, blondasse à peau bronze... Bien dodue ! Woh ! Fairouz, beurette, beurre de chez Beur, sable, marron, cacao. Elle aussi toute de chair ! Ça en jette !... Je les fais boire un peu de mon scotch. Elles sont à la bière. Orval ! Ça ne se torche pas avec du brin d'acier, les Verdunnois ! Pas de refus. Je suis pas farouche. Je m'en fais un floater avec une once de mon précieux Laphroaig. Festival des mélanges heureux ! Ça baigne.

— Mixons, pendant qu'il en est encore temps !

Elles font du théâtre, elles rêvent de jouer au cinéma, machin. Bien vite ça se transforme en parade de mode, elles courent se déshabiller à l'étage et reviennent en pilotes de course, en astronautes, en pirates, etc. Elles posent sexy, tout en se rentrant le ventre, un peu gênées, pas sûres d'elles, pour cause de diktats, de Muzakpluche, de HaineTV. Tout ça, je me dis. J'applaudis d'autant plus chaleureusement !

Elles finissent en agentes secrètes, impers beiges, perruques à la *Kill Bill* (blonde pour la Beur et noire pour la blonde — elles inversent tout !), flingues en carton. Elles me menacent avec, c'est assez étrange. Un mec que je n'avais jamais vu auparavant arrive, finalement, une gratte en bandoulière. Il se met au piano dans le salon. Elles l'ignorent. Il sort sur la terrasse et se met à jouer de la guitare tout seul dehors. Pathos ! Nous restons tous les trois, dans la cuisine. Interrogatoire ! Je refuse d'avouer l'emplacement de la planque à microfilms. L'imper gris de la grosse Algérienne racée s'ouvre un peu et la révèle quand elle se penche pour me « frapper » avec la crosse de son « pistolet ». Parois soyeuses ! Chairs de poule ! Bourrelets de satin odorants !… Ah !… Elle pointe le canon de son arme sur mon entrejambe ! Garce ! Voilà ce que leur enseigne le cinéma ! Elles ne songent pas une seule seconde à m'arracher les ongles ou à me poivrer les paupières, non ! Droit au but ! Direct au bitoniau ! Je refuse obstinément de parler. Elles deviennent hystériques. M'entraînent au deuxième, dans la chambre de la petite. Un lit Queen ! Dji ! À quel âge ça commence !?

Deux cordes à danser se transforment en liens. On me ligote sur un tabouret. La blonde s'assoit sur mes genoux. M'enserre de ses cuisses. Sa mini ne cache plus rien. Jolie petite culotte à motif ourson manga débile portant un casque de moto. Je demande son âge. Suis-je en infraction d'après la loi ? De bonnes manières ? De la solidarité tribale ?

— C'est pas à vous de poser les questions, grossier assassin !

— Chus même pas grossier, côlisse de tabarnak ! Pis tout ce que j'ai assassiné, c'est le bon goût ! Pis encore ! Y bougeait encore quand l'ambulance l'a embarqué !

— Vantard !

— Taisez-vous !

Tandis que Fairouz serre mes cordes, Olga m'embrasse. Sa bouche est ferme ! pulpeuse ! ses lèvres charnues… Je pense à ses autres, de lèvres, mais je ne turgesce point, asti ! je ne redurcis… Ne regorge… Ne remoule…

C'est pas des scrupules. *Ononotaille*! C'est les trois vieilles!
K.O.! Kaput! Quatre capotes! Fairouz aussi commence à
m'embrasser. Je tente de me sauver mais je suis bien
arrimé!

Des mois au pain sec! Quand j'y pense! Revenez
demain, garces! C'est comme ça. Ma vie est un damier
fait de désolations désertiques suivies d'oasis écœurantes.
Fairouz se retourne, se montre!... À mon profit!... Quel
cul, cette bergère berbère! Généreux! Amical! Puis elles
se frenchent toutes les deux... *Comme que* toutes les tites
filles, elles ont vu faire Madonna ou Shakira ou
Whateva... Elles se roulent des pelles à tartes, à neige, des
charrues charnues, des souffleuses essoufflantes, elles me
mettent des coups de brassière, me giflent des tétons, ça
sent le petit savon rose à la glycérine, ça sent la vivace
vicieuse! La verte et vigourante jeunesse! Elles se retour-
nent pour voir l'effet sur moi, l'effet du visuel! À la
dérobée, elles regardent la bosse. Ma bosse. Eh oui, ça y
est finalement. Validation. Je suis leur caméra... Leur
caution.

Je les alibite.

J'entends des pas dans l'escalier. Tabarnak!
Francine Gauvreau apparaît.

Sacrament, les petites traînées avaient même pas ver-
rouillé la porte. Elle en fait, une de ces drôles de gueules,
la Francine! Comme si elle tenait un ballon imaginaire
entre ses mains, les yeux écarquillés, la bouche ouverte...
Oh là là, je suis dans la marde. Elle étend les bras, les
paumes vers le plafond:

— Kessé, tabarnak?!
— Allô, Fraisinette!
— Asti, Duncan! Gros crisse! Appelle-moé pas d'même!
— Euh... Spa ce que tu crois, ma belle, euh...
— Tout le monde a oublié ma fête! On m'invite à un
party pour la fête de quelqu'un d'autre, le jour même de
ma fête, asti! Le jour même où j'atteins mon pic sexuel!
LE JOUR de ma fête! UN LAPIN!... Pour deux crisses
de pin-ups mineures! Tu te caches ek eux-autres en haut
pendant que j'niaise en bas avec un dépressif qui joue du

câlisse de Jack Johnson plate à marde!?

Elle approche, furax, attrape l'Algérienne par le chignon de sa perruque d'espionne platine et par sa vraie chevelure en même temps, lui fait pivoter la tête de force, et lui carre un bisou mou à faire frémir! Amoureux, genre. C'est vrai qu'elle embrasse, la Fraisinette. L'autre, qui s'apprêtait presque à se sauver, reprend sa pose, repose la main sur la hanche, se refait une composition. Francine continue d'empaler la beurette. La tite québéco-voirienne me refout ses seins dans le visage en regardant l'effet sur Francine. Validation! Je peux pas bouger, je suis attaché! Francine fait:

— Heeeey, heeey, heeeey! Vieux Satyre!

Elle dégrafe son chemisier. Libère sa poitrine.

Bon, finalement, on la verrouille, la porte, c'est bien sûr! De toutes façons, les parents, il s'en foutent un peu, de leurs fifilles! Ça picole quelque part en bas. On entend les échos par la grande fenêtre ouverte. L'air est bon, chargé, sucré. Mon pote Alexandre doit y être, dans la cour, avec ses trois bambini et Daniela, et c'est son anniversaire, mais y a plus urgent! Je suis en train de lécher la bonne vieille noune aux baies de boysen de la Fraisinette, en compagnie d'une bouche de beurette. C'est un peu compliqué, parce qu'on n'arrive pas à enlever complètement les collants, qui sont comme barrés aux cuisses par l'enchevêtrement de jambes, de torses, de bras... On pourrait s'arrêter, procéder avec méthode, mais c'est pas le mood. Nous sommes dans ce rôle, toute la gang, de sexualité fortuite, donc vertueuse, donc du jeu! Tu brises le charme, tu meurs!...

On a fini, Maghrébinette et moi, par se partager la vulve de Francine en zones. Je tournicotine le clito du plat de la langue, tout en opérant le classique clic-clic du spot à deux phalanges, juste à l'entrée de la grotte humide. Beurette, elle, après quelques timides explorations, s'est mise subito à embrasser goulûment l'ouverture, avalant l'abondance avec apparente délectation, tout en émettant de tout petits cris de rongeur, de belette beurette. Depuis quelques minutes, elle a commencé à insérer des doigts plus bas, dans ce qu'il est convenu d'appeler le trou du cul

de la Francine. Celle-ci approuve (don't I know it?) et
secoue vertement et en cadence la croupe de la petite
Olga, carrément assise sur sa bouche. De temps à autres,
Fraisinette se met à rigoler et fait mine de danser sur les
lancinantes tentatives du guitariste qui s'escrime dans la
cour. Il est en train de revisiter les œuvres complètes de
Cat Stevens et Francine accompagne chaque cliché
navrant d'un miaou satisfait. Quelle actrice!... Ignorant
autant que possible ces incartades, je tripote de ma main
libre la très légère graminaison de la maghhrébinaise, faut
savoir être productif.

Soudainement, sans qu'on n'ait pu prévoir de cérémonie particulière ou moduler nos caresses pour orchestr-
er un quelconque crescendo, le bassin de Fraisinette bon-
dit de dix centimètres et elle glapit :

— Uagh!

Incertain, je continue à lécher. Fairouz retire sa main,
apeurée. Francine se raidit d'un coup. Tac! Je sens la
vague de roulis sur mes doigts. La vibration spasmodique.
Puis :

— Uaaaagh!

Je reçois une douche brûlante au visage. Pas trois
gouttes. Non! Plutôt un quart de litre. Elle m'a pissé
dessus?! Asti! Mais non. Je connais, *binederedonedat!* Et
ça n'y est pas, ni au goût ni à l'odeur! C'est plutôt céleri-
crevette. Jus de joie! Tétanisé, j'ai laissé mes doigts agir
et... Encore! Raidissement!...

— Uaaaa-aagh!

Et flotche! J'en prends dans l'œil! Oh! Ça fera! La
Beurette a eu un recul! Elle louche en regardant en alter-
nance mon visage, la plotte trempée, les cuisses ruisse-
lantes. Ça la fixe! Son huile à elle se met à couler le long
de mes doigts. Concentration! Focus! J'accélère, mais
sans trop appuyer! J'ai fait mes classes! Ça monte. Ça
monte. Elle respire rauque. Sa poitrine se gonfle. Oh! Elle
rejette la tête en arrière. Puis c'est comme un chaton qui
miaule, elle chigne aux ultrasons :

— Ouîîh-îîgh îîh!

C'est sexy! Oh, moi ça m'excite! Francine aussi! Elle
boit la Olga à pleines gorgées, et me carre sa plotte aux
framboises complètement trempée dans le visage. Je

reprends mes girations labiales, presque à regret. J'aurais bien voulu poursuivre ma pause admirative de Beurette et son mignon petit bonbon post-climax. Enfin. Au boulot!

Ça dure quelques minutes. Les élèves mettent la main à la pâte. Et alors: Hop! Troisième service!

— Uaaagh!

Flotche. Fascinant. C'est la chaîne! Les multiples! La Glaire Witch projette! Elle a jamais exulté comme ça avec moi, Fraisinette! Quelle jolie leçon d'humilité. Clenché par deux débutantes!... Bah. Faut pas faire un cas. Amusons-nous!... Faut dire, ça leur plaît, aux écolières! La Olga me lèche la face. Le nez, les joues, la barbe. L'autre Fairouz s'en mêle aussi! Je suis comme une tarte au citron dont les chats piratent la meringue! J'entends Francine qui cunilingue derrière. Qui s'active! Blondinette s'arrête tout d'un coup, puis me mord la lèvre, fort.

— Ayoye!

Tout son corps tangue, roule, sursaute, tressaille! Je sens la Francine qui va encore exploser, décidément c'est un canon détaché! Elles vont faire un simultané! J'esquive, cette fois!

— Uaagh!

— Kurrrva!

Je reçois plutôt toute la salve sur la poitrine. Vite, vite! Fairouz me saisit par les épaules et lèche toute la pluie. Olga s'étend de côté, soupire, se retire. Rompue. Fraisinette permute, rampe vers nous et me prend dans sa main. Ah, tiens! C'est vrai, tout le monde a relâché sauf moi! On allait m'oublier. Je m'en offusquais pas tellement, je suis pas farouche! Elle me crosse un peu, puis dépose mon gland tout rouge sur sa langue. Juste sous mes yeux, Beurette et Blondinette ont commencé à éponger du bout des lèvres les cuisses de Francine, une par-devant, une par-derrière. Elle, éternelle ballerine, pointe, attrape sa jambe au mollet et la tient tout près de sa tête. La voie est libre. J'ajoute mes papilles à la valse. Je lèche de gauche et de droite, une bouche, un sexe, une bouche, deux bouches, une bouche un sexe…

— Uuaaagh!

Flotche! Et voilà ce qui arrive aux imprudentes que nous sommes! Nos trois visages sont bien aspergés! J'éclate de rire! Les deux petites aussi! Oh! Ce qu'on est rigolotes. Elles se marrent en se regardant! J'avoue qu'on a l'air d'une belle bande de salopes! Ça nous dégouline du nez, ruisselle sur les joues, perle au bout des mèches… Francine en a finalement eu pour son argent, elle sort du lit, s'agenouille par terre et continue à me sucer doucement. Olga et Fairouz, fanas des happy ends, descendent toutes les deux vers mes cuisses, y prennent appui, et me saisissent toutes les deux à la base, bécottant, sortant la langue, léchant, embrassant, mouillant bien. Francine est au bout, elle ouvre la bouche toute grande, attend sa pitance, je vois son coude bouger, elle se tripote en même temps, la furie!

Je glisse mes deux index dans les chattes des petites, j'y vais du mieux que je peux, je commence à perdre un peu la tête. Blondinette ferme les yeux et je remarque des taches de rousseur sur ses paupières. Elle prend un air si froncé, si sérieux, si émouvant, que je me sens partir vers les étoiles. Fairouz, que j'avais presque oubliée, sautille deux ou trois fois et éloigne ma main. Bon Dieu, c'est Byzance! Sa bouche sourit dans sa caresse. La chambre se reflète dans les pupilles noires de Francine, je nous y vois, toutes les quatre, fin d'après-midi, Amérique du Nord. L'aube se lève sur le IVe Reich, mais nous sommes libres. À l'instant présent, totalement gouines, libres et vivantes. Je vois ma semence, toute inadéquate, sortir à grand-peine de la bouche du serpent, s'agglutiner timidement sur la langue de Francine. Ah! J'aurais voulu lui rendre la pareille! L'éclabousser! La doucher!… Mais non. Je me sens si tendre, si ému. Pas du tout sportif. Elle partage l'embouchure avec les deux petites. Beurette prend, avide! Blondinette se détourne, rigole! Affiche un air dégoûté! Nous rions toutes les trois. Fraisinette se lève, nous regarde de haut. Elle se touche devant nous, théâtrale! Déclare:

— Oyez!… Oyez!… C'eeest ma fêête! Jeee suis officiellemeeent z'à mon PIC! Jeee suis une FEMME! UNE FEMME DE TRENTE ANS, TABARNAK!

Elle pose un pied sur le lit, renverse le bassin vers l'arrière, et après un court suspense, remet ça! Flotchi! Flotcha! Flotcharoni! Je jure que je vois passer une filante juste au-dessus de ma tête. Ça se rend jusqu'au mur! La traînée de gamètes percute le menton de Manu Tchao, dont l'affiche règne sur notre pièce de théâtre depuis le début, collée en diagonale. Et Floc! Incoming! Torieu! Faudrait presque porter un casque.

CHRISTIAN MISTRAL

Le vin de Trente

Te souvient-il de ce vin de Trente? J'en avais reçu douze bouteilles d'Italie, bien emballées avec un mot de Blue Jean. Il s'était fait protestant, ce mécréant pratiquant : pour traverser Sicile et Calabre et Ombrie et Toscane et Piémont en passant par le Vatican, il s'était fait protestant.

Toi et moi, ma foi, notre schisme a commencé là, à s'exprimer comme le jus d'un citron amer ou d'une pastèque pourrie. Il paraît qu'on peut faire de la limonade avec de la rhubarbe, mais je ne suis pas près d'y croire. J'ai déliègé la première bouteille et nous nous sommes mis à parler.

Je voulais qu'on achète un nouveau lit, plus long de trente centimètres. J'en avais marre de buter contre le pied en bois du nôtre, mais tu y tenais, c'était une antiquité, un trésor de famille. J'ai fait remarquer que les hommes d'autrefois étaient beaucoup plus petits que moi. Tu as dit que tu allais y penser.

Blue Jean avait démarré du bout de la botte en remontant vers le septentrion, l'enclave entre l'Autriche et la Suisse, les ritals et les boches, les Dolomites. Il était fasciné par le concile convoqué en 1545 et par ses conséquences. Émanation de Martin Luther, ce long meeting de dix-huit ans avait débouché sur la définition du péché originel et la confirmation du dogme de la transsubstantiation. Débouché aussi, accessoirement, sur le massacre de la Saint-Barthélémy. Tout cela, il me l'écrivait avec un luxe de détails, pénétré de passion pour ce grand divorce entre croyants, et j'essayais de te communiquer sa ferveur sans comprendre que nous nous tenions tout au bord de notre propre cassure intime.

De coutume, le vin nous réussissait bien. On devenait chauds et ronds à l'intérieur, en phase et affectueux. Mais pas cette fois. Ton œil devenait vite sec et vitreux, tes lèvres s'amincissaient en une ligne de démarcation entre l'amour et le ressentiment. Sauf que cette frontière-là n'est jamais claire, du moins pas pour moi. Je n'ai jamais su, peut-être jamais voulu la voir.

À la troisième bouteille, on a failli parler du *Satiricon* de Pétrone, que je tenais pour le plus ancien exemple d'autofiction, mais tu m'as arrêté d'un geste las. «Pourquoi pas les grottes de Lascaux?» ajoutas-tu avec dérision, et je ris de bon cœur, mais toi, tu ne riais pas. Et je me suis aperçu que tu n'avais plus ri depuis longtemps. Depuis quand? Je n'en avais aucun souvenir, et ça m'a affolé, mais mollement, comme on peut l'être à la troisième bouteille.

Quand j'y repense, j'aurais dû prendre plus au sérieux l'angoisse que t'inspirait l'approche de tes trente ans, mais qu'aurais-je pu y faire, en vérité? J'étais bon pour bouleverser l'espace et la matière, mais impuissant à inverser le temps.

«Que dis-tu des *Confessions* de saint Augustin?» ai-je tenté sans trop de conviction. «Ça aussi, c'est un bon exemple…»

Tu as vidé ton verre. Claqué la langue. Tu as demandé: «Jeanne d'Arc a-t-elle écrit quelque chose?»

Quelle curieuse question, j'ai pensé. «Non. Ils l'ont brûlée avant.»

«Ah! tu as ricané. C'était pas de l'autofiction. C'était un autodafé…»

Et j'ai ri à nouveau, mais tu ne riais pas.

Je me suis escrimé avec la quatrième bouteille. Le bouchon est toujours plus coriace sur la quatrième.

«Pourquoi tu t'intéresses autant à ça, au juste?» À te voir, je n'avais pas l'impression que la réponse à ta question ferait la moindre différence d'une façon ou d'une autre, mais je me suis exécuté quand même. «Je prépare un papier. Je veux démontrer aux jeunes qu'ils n'ont rien inventé en matière littéraire.»

« Toi non plus, alors. »

« Non, mais moi je le sais. »

Je commençais à m'énerver et j'allais ajouter quelque chose quand tu m'as pris de vitesse. Tu as dit : « Je crois qu'il faut qu'on parle. »

Et là, j'ai compris. À regret, à contrecœur, j'ai dit : « D'accord. Demain. »

J'ai rebouché ce qui restait de la bouteille et on est allés se coucher, dos à dos, dans notre lit trop petit.

YVES MASSICOTTE
et
MONIQUE MIVILLE-DESCHÊNES

Carte d'anniversaire
(en deux volets)

Damien, tu viens d'avoir trente ans !

Savais-tu que c'est l'âge qu'avaient les grands conquérants de l'Histoire ? L'illustre Alexandre avait cet âge quand il étendit son empire de la Macédoine jusqu'à l'Indus. C'est aussi l'âge des grands révolutionnaires : Fidel Castro refit à trente ans le visage de Cuba. Et aussi celui des grands sportifs comme Zinédine Zidane, le héros du « ballon rond ». Celui des grands généraux, tel Napoléon – pas celui de Waterloo, mais celui qui fut victorieux en Italie en 1796. C'est l'âge également des fondateurs de religions, et du plus grand de tous, Jésus Christ.

Mais c'est aussi l'âge des grands perdants, des malheureux qui n'ont pas vu leurs rêves se réaliser et que l'Histoire a rejetés. Je n'en nommerai qu'un seul, peut-être le plus représentatif… Il a vécu au Québec et il se nomme Chevalier de Lorimier. Il fut pendu pour avoir osé défier un des Maîtres du Monde, alors qu'il ne souhaitait pour sa patrie qu'un meilleur avenir.

Oui, trente ans, c'est l'âge des grands combats, des grandes réalisations, mais aussi des grandes désillusions. J'espère que celles que tu connaîtras te seront sources de renouvellement, comme ce fut le cas pour ceux et celles qui, ayant commencé une première carrière l'ont quittée pour en recommencer une autre, avec autant d'ardeur, de courage, d'honnêteté car…

…Vivre, c'est chercher
Et il fait noir longtemps…

comme le chante ta mère dans « Brise-glaces ».

Évidemment, ceux qui atteignent l'âge de trente ans n'ont pas tous la carrure d'un César et ne sont pas tous destinés à fonder des empires, et pourtant les jeunes comme toi qui ont cet âge fatidique sont tous confrontés à la même nécessité, celle de s'ouvrir au monde et d'affirmer leur personnalité, sinon ils s'anéantiront. Et cela peut prendre d'étranges cheminements. Je t'en donnerai un exemple : moi, j'avais un ami comédien qui, à trente ans, cru atteindre le point culminant de sa carrière artistique en réalisant son rêve d'aller jouer un jour sur une grande scène parisienne. Ce qu'il fit pendant cinquante soirs. Mais ce qu'il n'avait pas prévu, c'est qu'il ferait alors la rencontre de celle qui devint le grand amour de sa vie. Et c'est lui, cet amour, qui, en fait, l'a pleinement épanoui et a réorienté sa vie en la virant lof pour lof… Comme quoi, à trente ans, le hasard est aussi au rendez-vous à un carrefour d'où partent plusieurs chemins menant vers un bonheur hypothétique.

Certaines directions te seront imposées ; pour d'autres, tu devras faire un choix judicieux, car beaucoup de ces chemins mènent à des culs-de-sac.

C'est à toi, fiston, de jouer !

Fais les bons choix. Si tu tombes, relève-toi. C'est ce qui fait la grandeur de l'homme. Comme l'a écrit le poète Félix Leclerc : « Succès et échec sont les deux faces d'une même médaille. »

Vis. Avance. Encaisse les gnons. Dépasse-toi. À trente ans, tous les espoirs sont permis. Beaucoup de gens t'attendent ; ils ont besoin de ta jeunesse et de tes idées.

Bonne chance : elle est aussi au rendez-vous.

Ton père, Yves

Par les fenêtres

C'est quasiment incroyable : me voilà ce soir dans cette petite chambre de l'hôtel Saint-Louis, rue Saint-Edmond, à Rimouski, avec un contrat en poche pour avoir chanté avec ma guitare devant un troupeau de vaches, il n'y a pas si longtemps. C'est après m'avoir entendue lors de cette foire agricole du bas du fleuve qu'un dirigeant de la station de Radio-Canada ici m'a proposé une série d'émissions d'un quart d'heure que j'animerai seule, à la télévision, tous les quinze jours. Mon réalisateur sera Michel Garneau. J'ai dix-huit ans, il en a peut-être vingt. Il paraît qu'il est écrivain, un peu… ou beaucoup ; il est le frère du poète Sylvain Garneau. Et il aime grandement le jazz.

Qu'est-ce que je fais ici ! Tout à l'heure j'irai chanter trois chansons à cette émission qui a été nommée « Le sentier ». Je chanterai justement *Notre sentier*, de Félix Leclerc, *Chante vigne !* d'Yves Sandrier, un jeune Suisse inconnu de tous, et *Pauvre Martin*, de Brassens. Puis je repartirai demain matin comme je suis venue, sur le pouce. J'ai été chanceuse ce matin, je n'ai pas attendu très longtemps le long du chemin devant la maison de mes parents à Saint-Jean-Port-Joli ; à peine dix minutes, puis un voyageur de commerce m'embarquait. Deux heures et quart de route. Je me demande si j'aurai autant de chance pour voyager cet hiver. Je prévois que ce ne sera pas chaud pour « signaler » sur le pont de Rimouski. Il vente par là ! Est-ce que je commencerais à gagner ma vie en chantant ? Ce sont de bien grands mots : je gagne juste de quoi payer ma chambre à l'hôtel Saint-Louis, et une couple de repas. En bas de ma fenêtre, la rue Saint-Edmond monte vers le sud (ou descend vers le nord, mais pas sur une longue distance parce qu'au nord c'est le fleuve). Le studio de télévision se trouve rue Jules-A. Brillant qui traverse la rue Saint-Edmond plus haut. J'ai le trac. On dirait que ma guitare sonne faux. J'espère qu'il y aura un piano au studio pour que je puisse l'accorder. Je vais me maquiller légèrement et j'y marcherai. Je reprendrai ces mots que je griffonne en tremblant, au retour, après la première épreuve…

Minuit. Tout s'est bien passé, il me semble. J'ai chanté de mon mieux. Michel Garneau est gentil. Il est beau aussi. La soirée passée chez lui et sa compagne, à écouter du jazz, m'a un peu désorientée : pas de repère. Il m'a demandé si j'écrivais des chansons. C'est curieux qu'il ait pensé à ça… « Oui, je commence à écrire… », c'est ce que je lui ai dit. Il me demande d'interpréter une de mes chansons chaque quinze jours. C'est beaucoup. Je vais commencer par travailler *Les gerbes* dont j'ai déjà deux couplets. Cette première émission, « mon émission », qui est peut-être un départ, me laisse une impression que je comprends mal encore…

Premier mars 2006. C'est l'anniversaire de Damien ; il a trente ans aujourd'hui, mon fils. Alors je suis venue le fêter. Il vient d'être muté ici dans une station de radio, propriété d'Astral Média. Directeur de marketing, mon fils. Jamais je n'aurais cru ça : de qui tient-il ce talent ? Trente ans… Et c'est hier ses petits pieds dans le sable rouge de l'anse aux Sauvages… J'ai fait le voyage pour la trentaine. Tandis que lui et sa blonde sont au travail, j'examine leur appartement situé rue de la Cathédrale. Décidément, Rimouski nous cherche ! Par la fenêtre devant moi, qui donne sur la cour arrière, je reconnais la rue Saint-Edmond. Alors là… *je suis devant l'incréable…* dirait Jacques Cartier, comme il l'a dit devant la beauté de nos côtes quand il les aborda lors d'un de ses voyages. À la fenêtre du bâtiment qui a déjà été l'hôtel Saint-Louis, rue Saint-Edmond, il y a une jeune fille de dix-huit ans qui me regarde. J'ai peur ; si elle me voit, elle est devant une étrangère qui ne lui dit rien. Je suis seule spectatrice. Et j'ai le trac : elle va mettre un premier pas dans une voie qui l'a prise dès qu'elle a ouvert la bouche pour une chanson. Sans être préparée à cela. Si je pouvais lui parler… Non, je ne lui donnerais aucun conseil. Elle est trop pure et neuve pour la vieillir par du temps vécu. Il lui faut les découvertes de tous ses chemins par hasard et volonté. Et pourtant... Oui, je vais traverser lui dire... Lui dire quoi! M'excuser de ne pas lui promettre le succès? Impossible : je comprends maintenant, aujourd'hui seulement, devant cette fille et sa guitare, que ce n'est pas cela qu'elle vise, qu'elle ne visera jamais cela. *De toi, je n'attends pas le succès mais la réussite*, m'écrivait un jour Pierre Perrault. L'exigence du poète, je l'avais déjà en moi.

J'ai dix-huit ans là-bas, de l'autre côté de la rue, derrière une fenêtre. J'ai des comptes à me rendre ; voici : je me suis obéi, je n'ai pas trahi l'instinct naturel qui me gardait d'aller dans le sens du courant. Ce métier est terrible, je le fais proprement, sans vacherie. En donnant ma mesure. Embrasse-moi, la petite ! Mais je suis encore incapable de te dire si nous avons réussi. Une chose est certaine, nous n'avons aucun talent pour la courtisanerie et rien ne vient dans notre sens. Comme si de rien n'était, continuons de chanter !

La rue Saint-Edmond... Ne dirait-on pas que je suis convoquée ici ? Sinon, pourquoi mon fils qui a cherché un appartement à Rimouski durant des semaines serait-il venu, sans le savoir, se braquer devant ma jeunesse ? À trente ans, peut-être a-t-on besoin, même confusément, de connaître le lait des premières gorgées.

Dans un coin de l'appartement, « ton père » se tient discrètement, ému, comme s'il voyait lui aussi les visages rejointoyés...

Monique Miville-Deschênes

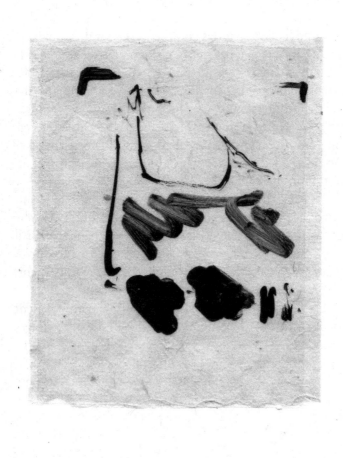

Suzanne Myre

Fiodor

Jusqu'à l'aube de ses trente ans, Iouri Benoît arborait l'allure de ces humains qui paraissent destinés aux oubliettes de l'anonymat. Mis à part son prénom, caprice de sa mère qui avait lu *Chatouny* de Iouri Mamleïev quelques jours avant la naissance de son petit garçon, il semblait condamné à l'absence d'originalité. Elle avait aimé ce récit simple et efficace où il est question d'un assassin, désaxé sexuel aux préoccupations métaphysiques vivant dans un monde glauque, peuplé de gens à la cervelle éventée. Elle s'était dit, avec la naïveté de celles à qui le romanesque donne une seconde vie et qui confondent la réalité avec l'onirique, qu'en baptisant son enfant du prénom d'un grand auteur dissident dans la Russie du XXe siècle, son petit aurait un destin extraordinaire. Si la théorie consistant à baptiser un enfant d'un nom singulier peut suffire à lui prédire une vie hors du commun était vraie, Iouri, hélas, n'en apportait pas la preuve. Son insignifiance était telle que dès la sortie du ventre de sa mère, il n'émit qu'un petit miaou au lieu du cri de protestation familier, de cette sorte d'exhortation qui nous donne la certitude qu'il s'agit d'un bébé bien en vie, mécontent mais vivant. Déjà, il démontrait une faiblesse de caractère propre à ceux à qui l'on prête, alors qu'ils sont encore un point sombre flottant dans la cavité abdominale, un destin digne des plus grands. Tu veux que je sois un médecin sans frontières, un écrivain prolifique et bon vendeur, un militant pro-quelque chose ? Je serai commis d'épicerie, préposé à l'entretien ménager, au mieux une sorte de tyran frisé et laid.

Hormis frisé et laid, Iouri ne fut rien de tout cela. Il tâta l'informatique de façon molle et désintéressée, coucha avec quelques filles banales qui mimaient l'orgasme, couvait encore dans la maison maternelle à l'âge de vingt-neuf ans et vécut jusque-là en se posant de rares questions mais en répondant à la seule qu'on lui posait sans arrêt : d'où lui venait donc ce prénom exotique qui chatouillait les amygdales quand on le prononçait ?

Un jour pluvieux, trente-six heures précédant son trentième anniversaire – et ce jour a ceci de spécial qu'il fit chanceler son existence en suspension –, alors qu'il se trouvait chez Lydia, une fille lubrique qu'il fréquentait seulement les jours de pluie, il trouva une copie de *Chatouny*.

— Tu lis ce bouquin ? Tu lis, toi ?

— Oui, je lis, moi. Je sais lire, figure-toi donc. Je l'ai commencé et il m'emmerde. C'est plein de timbrés là-dedans, de meurtriers et d'idiots et j'y comprends rien. Je vais le rendre à la bibliothèque, ce soir.

— Je peux te l'emprunter ? Je le retournerai moi-même.

— Bien sûr. Mais n'oublie pas, j'ai pas les moyens de payer une amende, j'attends d'ailleurs mon chèque qui n'arrive pas. Tu as envie de faire quelque chose ?

Faire « quelque chose » équivalait pour Lydia à une fellation, un cunnilingus ou un soixante-neuf. Étant en chômage, elle ne pensait qu'à cela, faire l'amour étant pour elle une activité lucrative, en termes de satisfaction personnelle. Iouri s'exécutait de façon mécanique, sans y mettre aucune âme – il n'en mettait d'ailleurs dans rien – mais cela semblait importer peu pour Lydia, dont les miaulements exagérés cassaient les oreilles de Iouri et témoignaient d'une vulgarité frisant le ridicule.

— Non, pas aujourd'hui. J'ai envie de faire quelque chose de spécial pour clore ma vingtaine.

— Comme quoi ?

— Lire un livre, celui-ci, peut-être. Je tiens mon prénom de celui de l'auteur, faudrait bien que je voie de quoi il s'agit.

— Voyons donc, tu ne lis jamais, à se demander si tu connais ton alphabet. Tu penses que lire ce truc va changer ta vie ? Tu as donc envie de t'embêter à ce point avant d'avoir trente ans ? Viens donc par ici, j'ai mieux pour toi.

D'une main, elle commença à tripoter les boutons de son pantalon avec ses doigts boudinés – Iouri ne portait que des jeans à boutons, en souvenir du jour où il s'était coincé la peau du pénis dans la fermeture éclair – et de l'autre, elle pinça à mort le bout de son mamelon sensible. Il poussa un cri de douleur et repoussa Lydia qui tomba sur ses grosses fesses en forme de champignons.

— Aie ! qu'est-ce que tu fais, idiote ?

— Tu aimes ça, d'habitude.

— Pas aujourd'hui. Il est temps que je fasse quelque chose de ma vie, et ça ne se passera pas ici avec toi. Tu n'es qu'une nymphomane sans aucune vergogne.

— Et toi, de la vergogne, tu en as, je suppose ? Tu risques de détester ce livre, car il est plein de gens sans vergogne comme moi, comme nous. Pas surprenant que ta mère t'ait appelé du nom de cet auteur de merde. Fous le camp, va faire ta vie, si tu sais ce que ça signifie, avoir une vie. Tu vas avoir trente ans et tu ne sais même pas où est le point G.

— Ah, parce que tu le sais, toi ?

— Non, mais tu aurais pu essayer de le trouver, au moins ! Tu ne sais qu'épeler jusqu'à F comme dans « fourrer », espèce de nul !

Iouri quitta le petit deux et demie de Lydia en emportant le livre. Il est vrai qu'il dut se chamailler avec elle pour le lui arracher des mains et accepter de se laisser faire une fellation, la dernière, se dit-il en se forçant à éjaculer le plus vite possible pour échapper à ses ventouses buccales et à son regard de poule pondeuse. Quand il passa le seuil de la porte, il se demanda pourquoi il n'était tout simplement pas allé emprunter le livre à une autre succursale d'une bibliothèque publique.

Lydia n'avait pas tort, Iouri n'avait jamais réussi à terminer un roman de sa vie, en contre-réaction à sa mère qui ambitionnait de tapisser les murs de leur maison de livres. Elle n'avait de vie que par la lecture, s'abreuvant d'histoires plus inspirantes que la sienne. Il y avait des livres partout, jusque dans les armoires de la cuisine, là où auraient dû se trouver le gruau et le sucre. Sa pauvre mère était le plus souvent déconnectée, et cela convenait à Iouri. Ainsi, elle ne se rendait pas compte qu'un fils de trente ans qui colle encore aux jupes de sa mère ne présage rien de bon, et Iouri n'avait aucune envie de pourvoir à ses propres besoins. Son maigre salaire de vendeur dans une boutique d'informatique n'aurait pas suffi. Ce qu'il voulait, c'était mettre assez d'argent de côté et s'acheter une Subaru Empreza bleu métallique pour parader dans les rues de son quartier et impressionner les voisins qui jugeaient d'un air méprisant ce gringalet attardé qui profitait de la bonté de sa mère, cette auguste femme qui allait tous les dimanches à l'église, un missel collé sous son nez tout le long de la cérémonie. Ce qu'ils ne savaient pas, c'est que ce missel n'avait de saint que la couverture qui cachait un roman d'aventure ou à l'eau de rose loin d'être bénite.

C'est en fouillant dans la lingerie de sa mère ce soir-là, à la recherche d'une petite culotte assez jolie pour couvrir son oreiller qu'il découvrit, tout gondolé et décati, le *Chatouny* à qui il devait son prénom. Il décida de se plonger dans la lecture de cet exemplaire symbolique plutôt que dans celle du livre de Lydia et jeta celui-ci à la poubelle. Qu'elle s'arrange avec l'amende !

Il lisait lentement, aussi passa-t-il les trente-six heures suivantes à s'imprégner du personnage primitif et sauvage de Fiodor Sonnov, qui tue avec un sang-froid admirable et déjeune près de ses cadavres en leur racontant sa vie pathétique. Il compatit avec ce pauvre bougre et fut touché par les autres protagonistes, tous des malheureux sans méninges dont les vies misérables lui rappelaient un peu la sienne. Lentement, avec la sournoiserie d'une kleptomane, une idée s'infiltra dans son esprit. Elle vola ce qui restait de sensé en son cœur et grandit jusque dans la nuit, alors qu'il rêvait qu'il était Fiodor. Un songe plus grand que nature dans lequel Iouri s'abandonna et s'identifia totalement. L'âme perdue de Fiodor Sonnov tapie dans les replis de son inconscient, Iouri Benoît aborda ses trente ans.

— Joyeux anniversaire, mon petit Iouri !

Sa mère s'obstinait encore à l'appeler « mon petit », malgré son âge et ses cinq pieds dix. Et à croire que les gâteaux roses couverts de rosettes blanches à la crème l'enthousiasmaient. Néanmoins, il la remercia en déposant un baiser sur sa joue douce et, pour une dernière fois, fleura la bonne crème Nivea dont elle s'enduisait jusqu'autour des oreilles. Il se servit une part gargantuesque de ce gâteau fait maison en regardant les membres de sa maman se détendre sur le sol. Il l'avait entendue, à l'aube, confectionner en faisant le moins de bruit possible cet étalage de pâte et de crème savoureuse et il ne put empêcher le petit gars en lui de s'émoustiller tandis qu'il avalait tout rond l'amalgame sucré juste à point de bons ingrédients blancs et roses. Tout comme Fiodor, il se découvrait bon appétit ainsi accompagné d'un cadavre bien frais reposant à côté de lui. Il espérait que sa mère n'avait pas trop souffert quand il l'avait doucement étranglée pendant qu'elle s'affairait à laver la vaisselle – il avait judicieusement attendu qu'elle fût sur le point de terminer; le bruit du dernier chaudron qu'elle essuyait et avait laissé tomber sur le carrelage avait résonné au point de lui donner un acouphène. Il espérait que ce tintement désagréable ne soit pas imprimé dans son crâne. Enfin, elle ne l'appellerait plus « mon petit », ni Iouri ni quoi que ce soit d'autre et il pourrait enfin devenir qui il était vraiment. Il rangea ce qui restait du gâteau au frigo et entreprit de ranger sa mère dans l'énorme congélateur au sous-sol, avec le bouquin qu'elle était en train de lire, *Le silence des agneaux*. Pauvre maman, elle ne l'aura jamais terminé. Aussi le déposa-t-il tendrement entre ses mains jointes sur sa poitrine tachée de sang noir. Elle pourrait le terminer à temps perdu.

Sa trentaine commençait de façon fracassante. Finie la vingtaine molle et sans consistance. Il allait se débarrasser de tout ce qui encombrait son existence pénible et blafarde. Il pensa appeler Lydia, éprouvant un goût de sexe cru au souvenir de Pacha, un autre personnage baroque du livre qui escalade frénétiquement sa femme enceinte – étrangement prénommée, elle aussi, Lydia – au point de trucider le fœtus qu'elle porte en elle en lui perforant la fontanelle avec sa queue démesurée.

Auparavant, pris d'un souci de coquetterie irrépressible, il enfila la culotte la plus coquette de sa mère et partit magasiner. Il lui fallait un pantalon en gros velours côtelés, comme celui d'Aaron Eckart dans le film *Possession* qu'il avait visionné avec Lydia quelques semaines plus tôt après un soixante-neuf raté. « Ce que ce type est beau, ce qu'il a du style, pourquoi tu ne t'habilles pas comme lui, il est chou, je le sucerais sur-le-champ ! » En tant que Iouri, il ne lui était jamais apparu important de cultiver une apparence particulière, mais en tant que Fiodor, il lui fallait un genre spécial, viril, et celui d'Aaron lui apparaissait approprié, d'autant plus qu'il imaginait Fiodor également vêtu d'un pantalon fabriqué à partir d'un tissu frustre comme le velours côtelé. Le Village des Guenilleurs s'avérait l'endroit idéal pour sa quête. Malheureusement, ils semblaient à court de pantalons en velours côtelé et, après avoir essayé une dizaine de pantalons à côtes étroites, après avoir engueulé une vendeuse innocente – il n'avait jamais gueulé après personne, il découvrait là l'ivresse de cette prise de pouvoir – et après avoir repris son sang-froid, il décida de se brancher sur un modèle à jambes larges d'un magnifique drabe royal en concluant avec humilité que pour commencer, un velours à côtes étroites ferait l'affaire. Quand il se sentirait aguerri, il pourrait passer au velours largement côtelé et la paire parfaite lui tomberait sûrement dessus sans qu'il ait à la chercher. Ainsi vont les choses quand on se laisse guider par le destin qui est le nôtre. Pour compléter le portrait Aaronesque-Fiodorien, il dénicha un t-shirt mou Dex qu'il pourrait faire dépasser d'un tricot, comme celui d'Aaron. Il en trouva un qui lui parut parfait, une confection Point Zéro Nicole Benesti duquel le t-shirt mou émergeait par le bas d'un pouce et demi, du pur Aaron Eckart. Il se laisserait pousser une barbe de trois jours qu'il entretiendrait minutieusement et le portrait serait parfait, encore mieux s'il se faisait faire quelques mèches pour décolorer sa chevelure brune et lui donner quelques reflets blonds. Il s'échauffait en accumulant les achats et les idées. Jamais il n'aurait cru que sa vie prendrait un tel tournant, qu'en lisant ce livre il deviendrait aussi radicalement maître de son destin.

En sortant du magasin, un gros type barbu le heurta avec son ventre proéminent et Iouri lui envoya un direct en plein dedans. Hier encore, il se serait excusé de l'avoir bousculé même s'il n'était pas en faute, se positionnant en victime. Il se sentait enfin la maturité et la musculature nécessaires pour faire la différence. Il ne se laisserait plus marcher sur les pieds, foi de Fiodor.

La maison lui parut vide quand il pénétra dans le living-room. Dans son ancienne vie, un arôme de soupe chaude se serait échappé d'une marmite en fonte et un bol de potage ainsi que du pain frais l'attendraient sur la table de la cuisine, servi avec amour par sa maman. Elle l'avait traité comme un petit d'homme jusqu'à la toute fin. Là, dans le vide viscéral de l'antre maternel, il devait se conduire comme l'homme qu'il était devenu. Il ouvrit une conserve de soupe Chunky « avec plus de bœuf » et la mangea sans même la chauffer. À quoi bon perdre du temps ? Il enfila ses nouveaux vêtements par-dessus la petite culotte blanche brodée de fleurs roses et sentit sa testostérone monter et gonfler son pantalon. Il ouvrit *Chatouny* à la page 42, laissant le hasard le guider. « … Fiodor était pour elle l'absurdité personnifiée : "Il ne mange que la nuit et tue les gens comme ça, pour rien", se disait-elle avec attendrissement. Légèrement portée sur le sexe, elle trouvait pour se satisfaire les méthodes les plus diverses, normales ou pathologiques… » Bandé par-dessus la tête, Iouri composa le numéro de Lydia. Elle le comprendrait, il en était certain, ils étaient tissés avec la même fibre, comment ne l'avait-il pas perçue auparavant ? Mais, chose incongrue, elle n'avait pas compris le livre. Peu importe la manière, il l'aiderait à s'ouvrir l'esprit. Esprit, il n'avait jamais évoqué ce mot auparavant… Il se sentait ému.

— C'est la première fois que tu m'invites chez toi. Ta maman chérie n'est pas là à te faire manger à la cuillère ?

Lydia plissait son petit nez porcin en zieutant par-dessus l'épaule de Iouri. Se promenant avec précaution dans le petit salon propre, elle effleura le plastique qui recouvrait le canapé de style Louis XIX, impeccable. La mère de Iouri tenait à préserver les choses. En fait, tout était recouvert de housses, de couvertures, de napperons, de dentelles. Iouri pensa que la bienséance eut été d'envelopper le corps de sa mère de la doudoune dans laquelle elle aimait lire, une fois bien installée dans le congélateur. C'était ce qu'elle aurait désiré. Il faudrait qu'il voit à cela, plus tard.

— Ne parle pas de ma mère comme ça, tu ne la connais même pas. Ma mère est une femme admirable, elle m'a élevé toute seule et je n'ai manqué de rien. Mon père par contre… si je le trouve, je le tue, le salaud. Je lui ouvre la tête avec une hache, je l'éventre, je lui fais manger sa merde.

— Wow ! Je ne te reconnais plus. Ta voix, ce ton, tu m'excites. Et ces vêtements, ils me rappellent quelque chose, quelqu'un, mais qui ? Tu as une allure… mâle. Viens que je te fasse une pipe, allez, ne fais pas celui qui n'en a pas envie, je sais que oui. Ce sera mon cadeau pour tes trente ans.

— Tout à l'heure, on va descendre d'abord, ma mère… Attends-toi à recevoir un petit choc.

Le résultat surpassa les espérances de Iouri. Non seulement Lydia éprouva-t-elle le petit choc prévu mais son excitation sexuelle en fut décuplée. Elle referma la porte du congélateur, troublée devant ce potentiel qu'elle ignorait en Iouri, se déshabilla en une seconde et étala ses chairs généreuses sur le meuble frais et immaculé. Les jambes ouvertes dans un angle rappelant le grand écart d'une gymnaste, elle gémit quand Iouri s'inséra en elle et elle jouit rapidement. Cette fois, elle ne miaula pas mais poussa de tels rugissements que Iouri sut qu'il avait atteint la fameuse lettre G. Son propre orgasme le catapulta hors de sa tête ; il vit du sang, des corps mutilés et des mets somptueux présentés sur ces corps et il brailla en se frappant les pectoraux : « Je suis Fiodor, je suis Fiodor ! » Lydia reprit ses esprits et eut à peine le temps de couiner « Quoi ? Tu es qui ? » en apercevant avec inquiétude le visage écarlate de Iouri. Toujours un peu lente, elle comprit, trop tard, qu'elle venait de jouir sur son propre tombeau. Et la lame pénétra son corps si sensuellement qu'elle eut le sentiment, au moment de rendre l'âme, d'avoir joui une autre fois.

MARIE HÉLÈNE POITRAS

La Trentaine

Je m'appelle Russell Corriveau. Je suis né dans l'île,
dans ce village, à la frontière du pays, mais c'est comme si
on nous avait oubliés en plein océan. Pour cette raison, y
en a qui prennent un traversier et qui ne reviennent plus,
comme John par exemple, le grand frère de Collin, mon
meilleur ami. Il a voulu gagner la rive, aller voir ailleurs
pour savoir de quoi la vie est faite dans la grande ville,
oublier les morues séchées au grand vent sur les étals, les
homards en cage, les filles laides avec leurs yeux dans le
même trou et leurs robes sales, les mouvements de la
marée et les 2 500 idiots du village. Je parie qu'il ne s'en-
nuie pas une miette.

Douze ans : on est encore trop jeunes pour quitter
l'île, Collin et moi, alors on fait ce qu'on peut en attendant, ce qui nous donne l'impression qu'on s'enfuit à
toute vitesse. On se rend à l'école en skate-board, puis à
la plage faire du surf. Faut être futé pour embrasser la
vague ici, à l'île. Rien à voir avec la Californie ou la côte
ouest américaine. D'abord, le sable est rocailleux, plein de
tessons, de coquillages éclatés et de carapaces de crabes. La
grève est jonchée d'algues gluantes, puis y en a d'autres en
cloque, prises comme des raisins en grappe, qu'on fait cla-
quer en leur sautant dessus à pieds joints. Ça prend des
souliers même pour surfer, c'est malcommode. Puis dans
l'eau, là où meurent les vagues, y a les pièges à anguilles,
des labyrinthes de bois qu'il faut savoir contourner. Faut
être un peu fou et très habile pour surfer là-dedans. Collin
et moi on y arrive et ça nous donne l'air fier. Les filles

viennent voir ça et quelques *rejects* qui voudraient être dans le coup.

L'autre jour, tout près du cabanon où l'on range nos surfs, on a aperçu un homme en train de fumer quelque chose qui n'était pas une cigarette. Au début on a cru qu'on s'était fait pincer et qu'on allait se faire gueuler dessus – on s'attend à ce que ça arrive un jour ou l'autre. Collin et moi on s'est approchés avec nos planches, en se donnant des airs de *beach bums* comme dans le film *Point Break*. Puis on a reconnu Nicky, que j'avais déjà observé dans la cour de l'école, accoté sur les grilles près du stationnement d'autobus. « Salut, les gars, ça vous dirait de léviter un peu ? Deux-trois *puffs*, vingt fois plus intense que vos sparages en surf. Du très bon stock, un cadeau que je vous fais parce que vous avez l'air cool. Profitez-en, c'est pas tous les jours Noël. »

Il ne venait pas de l'île, alors on ne savait pas trop comment réagir. Moi j'étais méfiant mais attiré, puis je voulais lui montrer qu'on était pas des *rednecks*, qu'on avait vu neiger. « Donne-moi ça », que je lui ai dit avant de me mettre à tousser comme un débutant. Ça goûtait la laine minérale, la glace et le métal, tout ça en même temps. En descendant, ça faisait froid, comme si cette bouffée nous perforait la gorge de minuscules trous. Collin s'est mis à hyperventiler comme un con. Du crack bien sûr, aussi facile à trouver sur l'île que des bigorneaux. On est allés s'étendre dans le sable. La lune était déjà bien visible dans un ciel pâle, fragile. « Vous savez où me trouver si vous en voulez d'autre », a dit Nicky en s'éclipsant. Je me suis dit que les étoiles allaient poindre bientôt. D'infimes cristaux de lumière comme des flocons figés. On peut avoir confiance dans les étoiles. « T'es gelé en sacrament, Russell ! » Oui, peut-être bien. Mais je sentais, de façon très réaliste, avec une acuité nouvelle, pour la première fois de ma vie, la petitesse de notre île en comparaison de l'immensité du ciel et des dimensions du continent. C'était à la fois effrayant et grisant.

*

Dans la vie, faut se faire justice soi-même, on peut pas faire confiance. À qui réclamer quoi quand il y a des dommages et des pertes, je me le demande encore après toutes ces années. Je l'ai demandé aux quatre gars de la GRC qui font office de police dans l'île. Je l'ai demandé à ma vieille mère, à mon voisin, même à mon chien. Ça finit toujours de la même façon ici : seul devant l'eau bleue qui prend ce qu'elle veut sans jamais rendre de comptes, debout avec le vent qui claque, qui vous passe dans le dos comme un fantôme.

Je passe ma vie à répéter qu'il y a des coups de pieds au cul qui se perdent, des réponses qui ne viennent pas, des navires qui accostent dans les mauvais ports. Faudrait une police de la morale, des prisons pour les déshonorés. Y en a qui ont droit à une seconde chance et qui en profitent pour récidiver. Tous n'ont pas ce privilège ; mon fils s'est noyé à l'âge de vingt ans. Ça m'a rendu à moitié fou alors je me suis mis à boire. Ma femme Penny s'est poussée le jour où elle m'a vu engloutir le fond d'une bouteille de brandy avant le premier café du matin. Je crois qu'elle a pris le traversier. Peut-être qu'elle s'est installée en ville et qu'elle a ouvert une petite boutique de pose d'ongles, qu'elle garde des enfants ou qu'elle est devenue serveuse dans un snack bar. Peut-être qu'elle s'est jetée en plein océan à mi-chemin entre l'île et le continent dans la baie réchauffée par les courants du golfe. Pauvre Penny. Je n'ai jamais su où étaient passés les miens. Ça vous ronge un homme, ça vous le rend insomniaque. Alors, j'ai voulu me faire pêcheur, comme mon fils. De fils en père. J'ai cherché son corps flottant à la surface des eaux, l'épave de son bateau renversé, Penny transformée en sirène. Mais je n'ai vu que l'océan et des sardines, des gonzillions de sardines glissantes. Et un jour, une oie blanche, une flèche plantée dans le ventre, un trou rouge sur le duvet immaculé, un mauvais présage. Sales cons qui tirent à l'aveuglette dans le ciel.

Le temps vous passe sur le corps et quand il n'apporte jamais son lot de réconfort, un homme finit par perdre l'équilibre. Un homme perd pied, et glisse. Tombe. La retraite laisse beaucoup de temps pour jongler avec ses idées, c'est à rendre fou. Et si vous voulez savoir ce que je pense de l'«incident» qui vient de se produire, eh bien je trouve qu'ils auraient dû finir la job. Mener ça jusqu'au bout, carrément. Lui appuyer un fusil sur la tempe, une hache à l'arrière du crâne, ou viser le cœur. Faire comme avec l'oie blanche. Ceux qui ne viennent pas de l'île auraient intérêt à se tenir tranquilles, à éviter de troubler notre paix relative. Et lui, ça paraissait qu'il était de la ville, il l'avait écrit sur le front. D'ailleurs, il aurait mieux fait d'y rester.

Ici, dans l'île, on n'a pas envie de commencer à verrouiller nos portes. Alors ce groupe, La Trentaine, j'approuve l'incendie qu'ils ont allumé et les coups qu'ils ont portés. Parfois, assez rarement, mais de temps en temps, quand on le peut, il faut donner un grand coup pour pas devenir fou. Ne pas se contenter de tendre l'autre joue. Faire quelque chose de plus concret qu'une prière.

*

Ce qui m'avait étonné la première fois que j'ai mis le pied sur l'île, c'est qu'ici, après un voyage en traversier d'une durée d'une heure trente, on n'aperçoit plus le rivage opposé. Enclavée dans la baie, l'île apparaît perdue au milieu de nulle part, à la merci des vents brusques, frénétiques, bercée néanmoins par les courants tièdes du golfe qui attirent les marsouins et les petits phoques.

Je m'y suis senti immédiatement apaisé, enfin tranquille.

J'ai passé ma vie dans le domaine des communications, mes journées à tenter de soutirer tout ce que je pouvais de mes contacts, à parler au téléphone, à répondre au cellulaire qui sonnait en même temps, à faire semblant d'être le meilleur ami de tout le monde, tout ça sans crouler sous la centaine de courriels quotidiens qui saturaient ma boîte. Il fallait aussi, dans un mouvement inverse, donner tout ce que j'avais sans un remerciement et trouver les mots, dans la mêlée, pour refuser de temps en temps. Je passais mes soirées à flirter dans les 5 à 7, quelques nuits à me taper des minettes qui croyaient – à tort – qu'elles allaient monter dans les échelons en se faisant aller sur un gars comme moi. Ça se passait dans des hôtels ordinaires, et ça se terminait en général devant un navet américain avec un sac de pinottes pendant que la fille, qui dessaoulait tranquillement, remettait son string en se demandant où étaient passés ses bas, son honneur, et sa raison. Ce train d'enfer, je l'ai tenu pendant environ quarante ans. Les bas nylon étaient toujours entortillés dans les couvertures au pied du lit, là où le drap glisse sous le matelas.

Les vacances dans l'île avaient été mon premier projet de nouveau retraité. Tout à coup, il m'était apparu que, pendant toutes ces années, je m'étais agité pour pas grand-chose et qu'il restait à peu près rien de tout cet édifice que je croyais avoir construit, comparé à l'énergie dépensée. J'avais trop parlé, et j'avais trop mal dormi, j'avais couru, trop souvent pris le taxi, m'étais trop fait bronzer dans les salons, m'étais surentraîné dans un gym. Je n'avais pas voulu d'enfants ni de femme, aucune responsabilité afin de continuer à vivre ainsi, intensément. Et un beau jour, je me suis senti las et j'ai eu envie de me tenir tranquille, de la fermer une bonne fois pour toutes.

L'île m'a donc « accueilli ». Je savais combien il serait difficile, voire impossible de m'enraciner ici ; mais je n'ai plus tellement envie de me mêler au genre humain, alors ça m'arrange. J'ai ouvert une petite boulangerie, introduit le café expresso dans cette île qui n'en veut pas – c'est plutôt pour les rares touristes. Ma seule activité sociale consiste à jouer aux échecs le mercredi et le samedi. De temps en temps, je fais de longues marches jusque sur le versant ouest, là où les falaises abruptes plongent en ligne droite dans l'océan. L'autre jour, j'ai observé un petit pélican qui apprenait à voler et ça m'a ému aux larmes. Je n'en demande pas plus.

Ce matin dans le journal du village, il est question de ce qu'une trentaine de villageois ont fait subir à un trafiquant de drogue. Une chaîne humaine de trente personnes a empêché les pompiers volontaires d'aller éteindre le feu que d'autres avaient allumé dans sa maison sans savoir que plusieurs de leurs enfants étaient au sous-sol. Le jeune qui vit dans ma rue, pas très loin de la boulangerie, a été défiguré. Apparemment, il neige des cristaux de cocaïne sur l'île, des cailloux de crack et des pilules multicolores. Tout ce qui vient du continent est suspect. Voilà pourquoi ils ont condamné le revendeur.

Je garde ces pensées pour moi, fais glisser la chaise qui gémit et me lève pour me préparer un allongé.

*

Il y a déjà un bout de temps que la rumeur court. Nos enfants sont soumis à de fortes pressions et certains d'entre eux succombent. Jusque-là, nous avions cru notre petite île à l'abri de toutes ces saletés. Il n'y a pas de véritables policiers ici (quelques agents de la GRC, pour la forme). Les armes qu'on retrouve dans l'île ne servent qu'à chasser et à achever les bêtes en souffrance. Pas de prison non plus, car il est à peu près impossible de se sauver ou de semer quelqu'un – l'île ne compte qu'une route qui trace un cercle et le boucle en nous ramenant au port. Il fait bon vivre ici. La nuit, on entend le vent qui agite les voiles des bateaux amarrés, et les vagues noires ramener les galets sur la berge. On sait les lourdes ancres couvertes d'algues et de calcaire, bien enfoncées dans les sables. Personne dans les rues, l'air sent le sel et les herbes moites. Ainsi bercé, on s'endort, la fenêtre entrouverte avec ces idées-là en tête et une certitude : le bonheur est constitué de joies tranquilles. Il faut savoir apprécier ce qu'on a. Chérir la nature. Remercier. Car la corne d'abondance est comble.

Des étrangers, il en vient de temps en temps. On les garde à l'œil, et tant qu'il ne troublent pas notre équilibre, on les tolère. Comme ce boulanger qui s'est mis à faire du pain pour les gens de la place. Ou comme cette femme qui est venue vivre ici après la mort de son mari et qui prépare des lunchs aux pêcheurs. Il vient des touristes également qui, en général, ne s'éternisent pas. Ils achètent une carte postale, un petit pêcheur en bois blond, scrutent la mer pendant quinze minutes, les yeux plissés, en souhaitant apercevoir des baleines, font le tour de l'île, y passent une nuit et reprennent le traversier en se demandant ce qu'ils sont venus faire ici.

Mais depuis quelques mois, des requins sont installés dans l'île. On n'y a vu que du feu. Parlez-en aux parents du petit Ray, qui ont cru à tort que leur fils faisait une mononucléose. Parlez-en à Greg et Diane Davis – l'aîné de la famille a été retrouvé sans vie dans un hangar il y a quelques semaines. Mort d'une overdose d'héroïne à onze ans, c'est ce qu'ils ont dit à l'hôpital. Une colère sourde s'est mise à gronder, pareille au vent qui se lève.

Au début nous étions six ou sept, des parents inquiets, dépassés, minés par un sentiment d'impuissance. Avec le bouche à oreille, très rapidement, nous avons été vingt à nous réunir, puis aujourd'hui, une trentaine. La Trentaine se réunit deux fois par semaine : le mardi et le vendredi, pour ne pas empiéter sur les soirées d'échec et de bridge. On loue la grande salle au sous-sol de l'église, là où ont lieu les soirées bénéfice, les grands bazars deux fois l'an et les ateliers de préparation à la de confirmation. On jase de nos filles fuyantes, de nos fils junkies, de ce qui nous file entre les doigts, de ce que nos enfants fabriquent en silence dans la grange. Il y a la mort de l'aîné de la famille Davis qui nous revient en pleine face, sa mère qui brandit une photo comme un crucifix pendant les réunions. Il aurait terminé son cinquième secondaire en juin et voulait être fermier comme son père, élever des bêtes, semer du grain, labourer les champs. Son corps contenait plus de drogue que celui d'un cheval euthanasié, a révélé l'autopsie.

En très peu de temps, nos enfants se sont éloignés de nous, ont gâché le petit peu d'enfance qu'il leur restait, ont basculé dans un monde parallèle. Les gardiens de la GRC ignorent comment intervenir auprès des trafiquants, et des enfants eux-mêmes. Dans les écoles, on fait comme si de rien n'était. Personne ne sait comment aborder le problème. Nous avons passé quelques séances à nous défouler, à montrer aux autres combien notre impuissance se traduit en rage. Puis nous avons fomenté un plan et le moment est venu de passer à l'action. L'objectif est d'agir une seule fois. De porter un grand coup pour que tout cela cesse. D'effrayer les trafiquants, de faire en sorte que tout ce qu'il y a d'artificiel dans l'île soit dissous dans l'océan, corrompu par le sel, anéanti par le temps, avalé par la vague.

Nous ne laisserons pas un nouvel ordre se mettre en place. Si la justice se tait, nous parlerons. Nous avons des

haches et des fusils de chasse. Des allumettes et de l'huile.
C'est ce soir qu'on agit. Ensuite, tout redeviendra comme
avant ou comme après la tempête. Les ancres dans le
sable, le vent qui siffle, les portes déverrouillées, les bœufs
qui paissent, les enfants qui jouent à des jeux d'enfants :
dans quelques jours tout sera revenu à la normale. Notre
colère aura disparu, nos peurs n'auront plus raison d'être,
nos pires craintes n'auront pas été réalisées. Retour à la
paix et aux prières.

Il faut dépoussiérer les crucifix et cirer les bancs d'é-
glise. Mettre toutes les chances de notre côté.

*

Je suis allé répondre à la porte. Il y avait quatre
hommes. J'ai reconnu l'un d'eux, un surveillant dans la
cour de l'école. Ils avaient un drôle d'air. L'un d'eux, un
moustachu baraqué, m'a saisi au collet et m'a traîné
jusque dans l'herbe en gueulant contre mon oreille. C'est
à ce moment-là que j'ai constaté qu'ils étaient plusieurs,
une trentaine je dirais, et qu'ils n'entendaient pas à rigoler.
Il devait être autour de 2 h du matin. Les autres avançaient
avec des torches, on aurait dit un rituel démoniaque. Je
n'ai pas résisté, vous savez, je ne suis pas très bâti et puis
devant trente personnes qui vous encerclent, comme ça,
sans s'arrêter… J'étais couché par terre et j'encaissais les
coups de pied dans le ventre quand ils se sont approchés
de ma maison avec le feu. J'ai bien tenté de les avertir,
monsieur l'agent, mais il n'y avait rien à faire, je crachais
du sang et personne ne m'écoutait. Ils ont jeté de l'huile
sur les fondations de la petite maison et ensuite, ils ont
lancé leurs torches. Pendant ce temps-là, un peu plus bas,
les femmes et quelques hommes s'étaient assemblés en
une grande chaîne, comme les enfants lorsqu'ils jouent,
vous savez, quand ils se tiennent ainsi par la main et qu'ils
chantent à tue-tête. Des pompiers se sont pointés mais la
chaîne humaine les a empêchés d'intervenir en leur lan-
çant des pierres, des barbares je vous dis, alors les pompiers ont fait demi-tour. Moi, pendant ce temps-là, j'ai
avalé trois dents et puis quand j'ai senti que le vent commençait à m'entrer dans le crâne, je me suis évanoui,

monsieur, sans pouvoir faire quoi que ce soit pour les arrêter. Voilà pourquoi je plaide non coupable à cette accusa-
tion. Ils ont eux-mêmes brûlé les douze enfants qui
s'étaient réuni dans le sous-sol, entraînant la mort de
quatre d'entre eux. On ne joue pas comme ça avec le feu
sans savoir ce qu'on fait. Vous avez vu l'état de la maison ?
Ils ont tout saccagé, il ne reste que des vestiges de bois
noir, que de la cendre partout : rien n'a été épargné.

Oui, j'admets avoir vendu de la drogue aux jeunes.
Mais j'aimerais ajouter, monsieur l'agent, que je n'ai jamais eu la tâche aussi facile. Ils ont pris tout ce que je leur
offrais, en ont redemandé, ont voulu tout essayer, sont
même venus frapper à ma porte, chez moi en pleine nuit,
m'ont imploré comme des zombis, les mains toutes tendues vers moi. Je n'avais jamais vu une telle chose. Pour
ainsi se jeter dans des mondes parallèles sans vouloir en
revenir, je présume que ces jeunes souffraient d'un ennui
sévère. Ils ont cru que cela pouvait ne pas cesser, ont cherché à demeurer dans cette zone, ont désiré très fort s'y
perdre à jamais – peu importe les conséquences. Comme
si tout pouvait s'arrêter là. Les plaisirs et les grands frissons doivent se faire rares dans ce village, je présume qu'ils
n'avaient jamais autant ressenti le monde et que ça
explique qu'ils se soient transformés en junkies en un si
court laps de temps.

J'en déduis que cette île est pourrie dans sa racine par
l'ennui et par une sorte de violence larvée. Que ses habi-
tants ne connaissent pas de limites et que cela les rend
dangereux vis-à-vis d'eux-mêmes et des autres. Si vous
devez m'emprisonner, de grâce, renvoyez-moi sur le
continent. Permettez-moi de quitter cette île maudite, ce
monde désenchanté dont je ne saisis pas la frontière. Je
vous jure de ne plus remettre les pieds ici. Jamais plus.

MATTHIEU SIMARD

L'univers, c'est des culottes de fille

«*The world is not my home, I'm just a passin thru*», qu'il chante avec des cure-dents en travers de la gorge. Ça fait vibrer le matelas, et ça ne coûte même pas le trente sous des motels cochons. J'ai mis de la musique, n'importe laquelle, dès qu'on est entrés chez moi, pour couvrir la gêne – la mienne – qui résonne partout dès que je ramasse une fille soûle. C'était Tom Waits qui jouait, c'est lui qui nous entraîne vers la baise beige des amants poches qui ne se connaissent pas et qui n'en ont rien à foutre.

Elle s'appelle Marie-Chdfffalne. Marie-Chantal ou Marie-Christine mâchouillé plein de gin au bar tout à l'heure, et de toute façon j'avais les oreilles ailleurs. Brune blondie, grandes jambes d'anti-cowboy pliées vers l'intérieur. Elle danse plutôt mal.

On est assis sur le bord du lit et les draps ne sont pas trop propres, mais ça ne paraît pas, ils sont beige naturel et la lumière aussi. Entre deux french-tonic, je regarde son visage illuminé de côté, et elle n'est pas belle. Pas laide, mais pas du tout mon genre. Elle fera l'affaire pour ce soir.

(Conscience de surface : je ne suis pas beau, pas laid, mais pas du tout son genre. Je ferai l'affaire pour ce soir.)

Elle me déshabille. Je la déshabille. On est tout nus. Blanchâtres par patches. Rosés par recoins. Beiges en général. On baise beige pas d'amour, moi caoutchouté, elle gélatinée. Par en avant d'abord, puis par en arrière. Je jouis sur ses seins.

On est étendus sur le dos, côte à côte, pleins de vide. J'ai trente ans.

*

Quand j'étais enfant, sur la nappe de vinyle de la table de bois de la cuisine, mon père et moi on tirait au poignet et il me laissait gagner. Il me donnait des biscuits aux pépites de chocolat pour célébrer. C'est le genre de *winner* que j'étais, à sabrer le Ginger Ale quand on me laissait gagner.

J'ai eu un chien qui est mort grugé de l'intérieur, Rambo. J'ai eu un hamster aussi, et un frère.

On vivait à la campagne et les filles du voisin étaient toutes lesbiennes. C'est ce que papa disait, nous on ne savait pas c'était quoi, des lesbiennes, mais ça nous faisait rire quand papa disait ça. On jouait au baseball avec elles, et mon frère était le meilleur, et après pas loin, les lesbiennes du voisin, et puis moi. Je n'ai jamais été très fort en sport ni très intéressé. C'est parce que ni mon frère ni les voisines ne me laissaient gagner.

Un jour j'ai frappé un double et en glissant safe au deuxième coussin j'ai vu sous la jupe d'une des lesbiennes du voisin, et il n'y avait rien d'intéressant là. Juste des culottes, blanches, sauf que quand j'en ai parlé à mes amis à l'école, ils m'ont posé plein de questions, et j'ai compris que tout était là. Tout l'univers, je veux dire. Sous la jupe d'une lesbienne, tout l'intérêt et la gravité et les planètes et les voies lactées, tout tout.

L'univers, c'est des culottes de fille.

*

À dix-sept ans, dans un cours d'histoire, j'ai trouvé la paix en ne la cherchant pas. Il était 14 h 37.

Ça faisait deux ans et des mois que c'était la guerre. Partout autour, avec des seins et des hanches et des fesses et du rouge sur les lèvres et du noir sur les cils, la guerre sale et vicieuse, les coups bas, les bombes sexifiées juste devant moi à longueur de journée. Je croyais que ça durerait toujours, la guerre de cent mille ans, le conflit dans ma tête et mes culottes, bander pour rien parce que je ne pogne pas, baisser les yeux parce qu'elles sont trop bien pour moi, la honte et la jalousie et la douleur. Le déchirement amoureux à répétition. La guerre. Et aucune raison de croire qu'elle va cesser, la chienne.

La guerre cruelle. Une fille me plaît, puis elle s'éteint et une autre apparaît, elles se relayent pour me faire mal, c'est la guerre sale avec la torture, je suis tout écartelé dans le métal, et pas une ne veut déboucler ma ceinture. Ça fait mal, c'est plein d'explosions dans mon thorax, et je suis seul dans mon camp. Tous les gars sont seuls dans leur camp. Parce qu'on les veut toutes juste à nous, les filles, on les veut juste pour nous, être le king être un dieu être le maître être un vrai. Et de défaite en défaite, la certitude qu'on ne s'en sortira pas, qu'on ne s'en sortira jamais, toujours la douleur et le sang qui remplit les tranchées et on y nage non synchronisés, tout croches en se débattant, et le sang ça goûte mauvais.

Puis cette paix, soudaine, inattendue, à 14 h 37. Comme ça, sortie de la bouche d'un barbu devant moi. Sans que je l'aie réellement voulue, sans que je l'aie cherchée, la paix servie en quelques mots, la paix en écoutant le professeur d'histoire raconter une histoire. Une histoire de guerre, en plus, une guerre quelconque – si c'est possible – qui s'était gagnée à grands coups d'argent. « Parce que c'est avec de l'argent qu'on gagne une guerre », qu'il avait dit le barbu. Et moi j'ai tout compris.

La paix, c'était de croire que les riches ont toutes les pitounes qu'ils veulent, toutes les culottes blanches de l'univers à portée de porte-monnaie. Toutes les filles. Les plus belles et les plus sexy, les plus sensuelles et les plus regardées. Toutes les filles, à moi, tout le temps, quand je serai riche.

Et tout était clair, à dix-sept ans, à 14 h 37, dans ma tête de winner qu'on laisse gagner. Finis les tourments adolescents. Finies les filles bombes qui m'explosaient en dedans. Finies les tranchées remplies de sang rouge à lèvres.

Armistice. Mesdemoiselles, signez ici. On se revoit dans une dizaine d'années, et vous baverez sur mes millions, et ça débordera sur moi.

*

J'ai eu mes millions. En les gagnant moi-même, en plus. Biscuits aux pépites de chocolat. Ginger Ale. Party.

Douze ans à n'avoir que ce seul objectif, ce cash pétillant, la vie rouleau-compressée pendant toutes ces années, à étudier les finances, l'administration, et bûcher des vingtaines d'heures chaque demi-heure de ma vie pour y arriver. Sans amis sans famille, il fallait que j'y arrive, pas pour l'argent, pas pour les voitures ou la maison ou les draps beiges trop chers pour rien. Pas pour avoir des millions, mais bien pour être millionnaire. C'est le « être » qui compte. Être millionnaire, et laisser les filles impressionnées partout autour. C'était le plan.

Douze ans de douleur, parce que les finances, les affaires, ce n'est pas pour moi. Rien à foutre des chiffres, mais j'ai appris, j'ai compris, j'ai placé les bons chiffres aux bons endroits, jour après jour, rien d'autre que les bons chiffres aux bons endroits, et la migraine à grands coups de masse me tenait éveillé quand la fatigue voulait m'abattre. Tous ces efforts à en vomir, juste pour que ma ceinture soit débouclée par d'autres mains que les miennes.

Parce qu'un millionnaire, ça pogne. C'est la leçon que j'avais retenue du barbu de mon cours d'histoire.

*

— Marie-Chdfffalne. Toi ?
— Marc.
— T'es-tu tout seul ?
— Mmm. Toi ?
— Oui.
— Veux-tu un lift ?

Dans le bar, il fait moins noir que quelques minutes plus tôt, et les slows ont commencé. On se lève, manteaux, porte, taxi. J'ai bu un peu trop, elle aussi, on ne dit pas un mot, le chauffeur nous raconte que son neveu a rencontré un joueur de hockey la veille, on fait oui de la tête en n'écoutant pas Il nous regarde dans le rétroviseur. On arrive chez moi. Je paye avec un bout de mes millions. On entre. Elle s'assoit sur le lit. Je mets la musique, « *The world is not my home, I'm just a passin thru* », pour couvrir la gêne.

Chaque fois que je ramasse une fille, c'est pareil. La gêne, la honte, le sentiment de m'être planté quelque part, le sentiment que toutes ces années de douleur pour baiser en quelques minutes avec une fille qui ne me plaît pas, ce n'est pas ça que je voulais.

On est étendus sur le dos, côte à côte, pleins de vide. J'ai trente ans.

Elles sont où, les filles parfaites tout autour de moi ? Elle est où, la grande victoire, l'ennemie à genoux devant moi, cheveux au vent, seins à l'air, belle comme l'univers, culottes blanches déposées sur le sol, elle est où ?

J'ai trente ans, et je n'ai rien compris.

Crisse de barbu.

CARMEN STRANO

Disparitions

Il a arrêté sa voiture sur l'asphalte craquelée, face à la forêt. Il a baissé la glace et coupé le moteur, un vent cinglant lui a fouetté le visage, puis il a inspiré avec soulagement l'air portant le souffle de la mer. Les enseignes de la halte routière et un cordon d'ampoules brillaient dans le ciel bleu foncé. La tension l'empêchait de réfléchir clairement, mais il avait toute la nuit devant lui. Il a laissé son téléphone et son porte-documents sur la banquette, a suivi un parterre d'herbe rase. Un homme corpulent feuilletant un journal à l'intérieur de la station-service surveillait distraitement les pompes à essence. Les ampoules suspendues entre les bâtiments ondoyaient sous les rafales et se cognaient sur le bord d'une enseigne avec un bruit cristallin. Le restaurant était une construction carrée, plate, avec une devanture largement vitrée. Plusieurs véhicules étaient garés dans l'aire de stationnement.

Des maisons éparses, aux fenêtres illuminées, longeaient la route, puis à peine plus loin le regard tombait à nouveau dans les ténèbres des forêts d'épinettes. Leurs cimes se découpaient dans le ciel, et lorsque le vent faiblissait, David percevait le bruit des vagues qui se brisaient sur la grève. Le restaurant dans lequel il se souvenait de s'être déjà arrêté était encore ouvert, il s'est attablé près d'une fenêtre qui renvoyait les lueurs brutales des néons, sa silhouette trouble en veste de sport et chemise blanche puis celle de la serveuse, qui a pris sa commande en posant sur lui des yeux absents.

Il n'avait pas faim, il pensait à son frère. Il y pensait sans cesse, sa pensée tentait de se frayer un chemin dans un monticule sans fin de souvenirs et d'émotions désagréables, il avait l'impression qu'il peinait sur une pente ascendante, qu'il déblayait sa voie à coups de pelle. Il a avalé un sandwich et bu un café, une force nouvelle a afflué dans son sang, il s'est senti plus résolu. Il n'avait jamais rien eu à décider de plus difficile. Une vieille femme mangeait un morceau de tarte dans le box face au sien. Elle regardait dans toutes les directions avec intérêt, comme si elle était sur le point de s'élever de son siège et de se mettre à voleter entre les choses. Elle a croisé le regard de David, a eu un sourire chaleureux, maternel, puis a détourné la tête. David lui a envié sa légèreté. Elle n'avait plus assez de résistance pour porter quoi que ce soit sur ses épaules, la légèreté était le privilège des vieux. Il a payé l'addition et est sorti.

Il a traversé la route, puis a entamé entre les pins la descente vers la mer. Il faisait maintenant complètement nuit. Les lumières des maisons vibraient et bourdonnaient derrière lui entre les troncs, à la lisière d'un autre monde. Elles se sont éteintes une à une. Ses yeux se sont rapidement accoutumés à l'obscurité. Le tapis d'aiguilles craquait sous ses pas, il glissait sur la boue, respirait une odeur amère de sève, de végétation qui pourrissait. Le chuintement des branches au-dessus de lui s'intensifiait, il s'est demandé comment il pourrait trouver dans ce vacarme le discernement qui lui était nécessaire. Mais la côte déserte l'apaisait, la beauté âpre de la nature pulvérisait ses soucis comme s'ils n'étaient qu'une couche de terre friable qui lui collait à la peau. Il se souviendrait cependant toute sa vie qu'il avait erré dans ce labyrinthe. Combien y en avait-il dans l'existence de chaque homme afin qu'il parvienne à lui-même ? Il avait trente-deux ans. Il avait divorcé et occupait un emploi qui ne le rendait pas heureux. Il avait considéré calmement qu'il ne savait pas ce qu'il attendait de la vie, qu'il n'y avait jamais réfléchi, qu'il avait été inconscient et inattentif, et que s'il continuait sur cette lancée, il finirait par vivre une vie qu'il n'avait pas choisie. Puis, auparavant, alors qu'il venait de rentrer du travail, Vincent avait téléphoné. David s'était contracté au seul son de sa voix. Quatre ans sans contact. Deux ans depuis le décès de leur mère. Trois depuis qu'elle l'avait imploré, les mains jointes, de pardonner à son frère. Il s'était emparé de son carnet de chèques, avait imité sa signature et dépensé au casino l'argent qu'elle avait économisé pour voyager. Au fond, Vincent souffrait, il était malade, murmurait-elle, déjà alitée, la respiration courte. Il était instable, mais il ne voulait rien faire de mal, il se laissait entraîner. Elle l'avait toujours protégé, elle avait tout accepté de lui. David n'avait pas répondu, il avait seulement soupesé son regard noyé dans son amour effroyable et avait compris qu'elle se mentait à elle-même.

Il s'est arrêté, le vent s'était perdu dans la densité du bois, il ne percevait plus que le rythme de sa respiration, les lents grincements des fûts, la chaleur qui se répandait dans ses muscles. La bande de terre qui séparait la route du rivage était beaucoup plus importante qu'il n'avait cru. Chacun doit aller seul dans la forêt sombre, s'est-il dit. Il a boutonné sa veste, il faisait froid, mais pas vraiment, sept ou huit degrés. Vincent voulait immédiatement de l'argent, il était impliqué dans une série de fraudes, il risquait la prison. Il avait six ans de plus que lui et il ne lui avait causé que des ennuis. David avait écouté en silence, puis avait accepté son rendez-vous à l'hôtel de Tadoussac. Je suis ta famille, avait dit Vincent. Il avait un fils. Il avait une manière vicieuse de moduler les émotions. Il pleurait.

David se faufilait entre les troncs rapprochés, un bras tendu, touchant l'écorce rugueuse. Il marchait par-dessus les arbres cassés, craqués, renversés, les branches mortes, suivait les brusques dénivellations du terrain, enjambait les segments de roc, étalés en strates comme les escaliers d'un gigantesque jardin en ruines. Il a trouvé une éclaircie entre les branchages, a dévalé l'escarpement, puis débouché sur une petite crique dans le grondement de la houle. Il s'est rappelé à quel point il aimait la mer. La plage n'était qu'une surface de terre caillouteuse, mais elle donnait sur l'infini de l'eau et du ciel. L'écume blanche du ressac roulait sur du velours noir. La lune luisait au large, énorme, sous les nuages laiteux. On aurait dit la bouche d'un tunnel lumineux qui allait absorber le ciel. La nuit avait pris une drôle de teinte, livide et trouble.

David a machinalement regardé sa montre en or, un cadeau reçu de son frère pour ses dix-huit ans. Vincent avait parfois des gestes d'une inattendue générosité.

Il n'y avait que deux possibilités, s'est-il dit. Laisser le chaos contaminer sa vie ou rompre tout lien avec sa famille. La première alternative le suffoquait, la seconde lui creusait un trou dans le ventre. Il butait sur les galets, ses chaussures s'enfonçaient dans le sable gris. Vincent volait, il ne supportait pas l'effort. Fabulateur. Égoïste. Tricheur. Avide. Ces qualificatifs avaient quelque chose de définitif, il avait l'impression de marquer une bête au fer rouge. Brûler au fer pour se libérer. La lutte était féroce. Leur amour tortueux était sacré. Le rivage s'incurvait et devenait encore plus étroit. David a aperçu devant lui la silhouette d'un homme qui marchait la tête levée vers le ciel. Il progressait de manière hésitante, il ne prenait pas garde à l'eau qui lui léchait les pieds. Il s'est soudain tourné vers David et s'est figé, comme si quelque chose de violent l'avait heurté. Puis il a allumé une puissante torche, l'a braquée sur David à bout de bras, s'est lancé en avant.

La lumière de la torche a atteint David en pleine figure, il s'est protégé les yeux de la main. L'homme s'est arrêté à quelques pas, puis le jet de lumière s'est déplacé, a vacillé sur la poitrine de David. Il voyait dans les faisceaux réfractés le visage incroyablement net – il distinguait chaque ride – d'un homme âgé qui le dévisageait. Il avait les traits tirés, ravagés, des yeux enfoncés, noirs, qui larmoyaient. Sa bouche restait crispée, comme sous l'effet de la douleur.

— Vous avez vu les lumières ? a-t-il demandé.

Malgré le bruit des vagues et son accent prononcé, David a saisi chaque mot. Sa voix semblait prisonnière du halo de clarté dans lequel ils étaient tous deux immobiles. Mais de quoi parlait-il ? Le vieil homme a rapidement tiré une feuille pliée de la poche intérieure de son manteau, a calé la lampe sous son coude, a tenu la feuille des deux mains, l'a déployée, est parvenu à l'éclairer et s'est approché de David, qui a parcouru de biais et à contre-cœur une sortie imprimante d'un article dans lequel il était question de lueurs brillantes et vertes signalées dans le ciel, il y avait même la photo d'un objet lumineux qui ressemblait à un cigare. L'article provenait d'un quotidien de la région et il datait de trois jours.

— Les objets volants ont été observés sur une centaine de kilomètres, a dit l'homme. Ils évoluaient là-bas, au-dessus de la mer.

Il a désigné le large. Malgré lui, David a regardé le ciel, puis la mer. Éclairée par la lune, elle ressemblait à une surface de métal qui bouillonnait lentement.

— Je n'ai rien vu, a-t-il répondu.

Il n'avait pas envie d'entendre parler d'une histoire qui ne menait à rien et il souhaitait être seul.

— Vous ressemblez beaucoup à mon fils, a encore dit le vieil homme.

Il le fixait toujours. Le vent ébouriffait sa chevelure, tirait sur son manteau ouvert qui claquait derrière lui. Indifférent aux éléments, il était imposant. David a soutenu son regard appuyé et étrangement lointain. Ses yeux brillaient, la souffrance les avait vitrifiés. Son fils est mort, a-t-il soudain pensé.

— Lui aussi marchait toujours les mains dans les poches. C'est stupéfiant.

— Je suis navré, a dit David.

— Il a disparu cinquante minutes après avoir décollé. Il était pilote. J'ai d'abord cru que vous étiez lui, qu'il était revenu.

David a porté la main à son front. Que répondre à cela ? C'était comme si le vent s'était engouffré sous son crâne.

— Ce n'est pas arrivé ici, mais en Australie, au-dessus d'un détroit, a dit l'homme qui parlait avec des inflexions dures dans la voix.

— Frederick a rapporté à la tour de contrôle qu'il voyait un appareil au-dessus de lui. Une lumière étince-lante qui passait et repassait au-dessus de lui, ou qui lui tournait autour. Il a dit que l'objet était de forme oblongue, qu'il luisait comme du métal et qu'il avait une lumière verte.

Il a éteint sa lampe. David a été surpris par l'épaisseur de l'obscurité qui s'est abattue alors sur eux. Il n'arrivait pas à croire que ce récit incroyable fondait sur lui à ce moment, que ce vieil homme l'avait trouvé sur cette côte désolée.

— Il a dit que l'objet allait si vite qu'il était impossible de le décrire davantage. Il a dit qu'il jouait un drôle de jeu avec lui.

Il terminait chaque phrase en haussant le ton, conscient qu'elle allait rester suspendue, sans adoucissement et sans réponse. David l'a regardé scruter l'horizon, a examiné à son tour les nuages. Ils étaient moutonnés, ils ne parvenaient pas à masquer la lune, ils fuyaient à une vitesse étonnante. Il a imaginé les feux minuscules d'un monomoteur s'engager dans cette immensité. Puis s'effacer.

— Quelqu'un a dit avoir vu au-dessus du Bass Strait des objets noirs qui produisaient des remous dans l'eau. Des photos ont été prises. L'armée de l'air australienne a conclu qu'il s'agissait de nuages. Des recherches ont été menées sur terre et dans l'eau, mais ni l'épave de l'avion ni Frederick n'ont jamais été retrouvés.

David ne savait que penser. Le ciel était-il encore le ciel, ou un écran sur lequel les gens s'évanouissaient? N'était-ce pas ce qu'il leur arrivait à tous, chacun leur tour? Cela aurait pu être lui, il pourrait ne jamais retourner à sa voiture, mourir subitement, être englouti.

— Je n'ai jamais vu de lueur dans le ciel, a-t-il ajouté, le vent dans la bouche.

La mer avait toujours cet aspect de plomb fondu et tourmenté. Il s'est représenté son frère dériver au loin, fait de la même substance, assailli par les courants, emporté par le tumulte qu'il engendrait lui-même. Il a ressenti un accablant sentiment de solitude.

L'homme a sorti de sa poche d'un geste lent une autre feuille, comme s'il la détachait de l'intérieur même de son être, puis a rallumé la lampe. Le papier avait été découpé dans une revue et l'article jauni avait été plastifié. Une photo le montrait assis dans un fauteuil, nettement moins âgé, tenant sur ses genoux le grand portrait d'un pilote en uniforme. David a étudié le visage de Frederick, a jugé qu'il lui ressemblait un peu, les mâchoires larges, le nez droit, mais il était plus jeune, il avait environ vingt ans. Sous la visière de la casquette, ses yeux exprimaient la mélancolie, alors que sa bouche entrouverte aux lèvres minces et l'assurance de sa pose évoquaient l'homme d'action. Ou la suggestion venait-elle de l'uniforme ?

L'impatience anxieuse du vieil homme pesait sur la nuque de David. Il s'est efforcé de déchiffrer la légende à côté de la photo dans la lueur tremblante de la lampe. Elle disait que le pilote Frederick Valentich avait disparu sans laisser de traces au-dessus du Bass Strait, lors d'un vol entre Melbourne et King Island, et que son père était convaincu qu'il avait été enlevé par un ovni. David était consterné. Il a de nouveau regardé la photo. Guido Valentich s'appuyait pétrifié contre le dossier du fauteuil, l'air hagard. David a pensé que c'était la photo la plus triste qu'il ait jamais vue. Il a cherché en bas de page la date de l'article. L'homme à ses côtés croyait que son fils avait été arraché au monde connu dans des circonstances qui broyaient l'imagination, et qu'il pouvait réapparaître aussi soudainement. Il attendait depuis vingt-huit ans. Il se demandait à chaque instant où son fils était et s'il souffrait. Il devait être convaincu qu'il ne pouvait d'aucune façon y avoir un homme plus seul, plus perdu et plus désespéré que son fils. Peut-être Guido était-il cet homme là, a songé David. Il a brièvement posé sa main sur son épaule, puis a enfoncé son regard dans la nuit du ciel et de l'eau. L'espace libre devant lui ne le soulageait pas de son propre poids, il n'était ni air ni profondeur ni étendue ni ténèbres, mais un mur que sa pensée n'arrivait plus à pénétrer. Le froid lui a mordu le dos.

— Les lueurs reviennent toujours, a encore dit Guido.

Il a repris son bout de papier. David s'est agenouillé et a ramassé un galet. Il était frais et lisse sous ses doigts. À cette distance du sol, l'odeur d'algue et de mousse était pénétrante. Les vagues déferlaient, des gouttes jaillissaient sous la poussée du vent et le criblaient de piqûres glacées. Guido était tombé dans un autre univers. Seul dans une pièce inhabitée dont il ne trouvait pas la sortie. Seul sur des plages sauvages cernées par l'eau et la forêt. L'agitation quotidienne ne le concernait pas. Le temps ne s'écoulait plus. Même le jour n'était qu'un décor trompeur et trop éclairé. David s'est redressé.

— Je dois partir maintenant.

— Attendez, a supplié Guido.

Il avait dans la main une enregistreuse, un vieux modèle portatif à cassettes. Il a reculé, a conduit David le long de la petite crique. Leurs semelles patinaient sur les galets, le faisceau de la torche voltigeait autour d'eux. Guido a grimpé une dénivellation de terre sablonneuse et est entré dans le bois. Ils y étaient à l'abri du vent et le bruit des vagues a reflué. Le vieil homme a donné les écouteurs de l'enregistreuse à David. David les a mis en hésitant, il avait la certitude d'être sur le point de connaître un secret intime et terrifiant. Le regard du vieil homme s'accrochait au sien.

— Sa toute dernière transmission, a-t-il annoncé de sa drôle de voix.

Il a appuyé sur la mise en marche. La lueur de la torche tombait de biais et décolorait les branches des pins. Le son était sifflant, mais suffisamment clair. David a d'abord entendu le bruit de fond, celui du moteur, puis immédiatement la voix de Frederick Valentich, précise, inquiète. *Delta Sierra Juliett. It's* (un silence, micro ouvert) *now approaching from the south-west.* Une autre voix, presque aussi tendue, provenant de la tour de contrôle. – *Delta Sierra Juliett.* Valentich, à nouveau. *Delta Sierra Juliett, the engine is rough-idling. I've got it set at twenty three twenty four and the thing is coughing. – Delta Sierra Juliett, roger, what are your intentions? – My intentions are… ah… to go to King Island… ah… Melbourne, the strange aircraft is hovering on top of me again* (un silence, micro ouvert). *It is hovering and it is not an aircraft. – Delta Sierra Juliett. – Delta Sierra Juliett. Melbourne…* Un son interrompt Valentich, une vibration profonde, aiguë, métallique, ahurissante. Le cœur de David s'est emballé. Il n'avait jamais entendu un bruit pareil. Suit un autre silence, assez prolongé, avec le grésillement léger du micro resté ouvert, puis survient, glaçant, le silence sourd de la fin de la transmission. David a retiré les écouteurs et les a rendus à Guido, effaré.

— Personne n'a pu identifier le bruit, a dit le vieil homme.

Sa torche pendait au bout de son bras affaissé et n'éclairait que ses pieds. Il a salué David d'un long hochement de tête, puis s'est retourné et est parti vers la plage. La lueur de la torche s'agitait et le devançait comme si elle lui ouvrait un espace entre les troncs. Son grand corps obstiné avançait rapidement. Il avait apporté une torche pour la diriger sur le ciel comme un signal, pour être emporté auprès de son fils, a songé David. Il irait devant la mer l'espérer jusqu'à ce qu'il soit vaincu par la fatigue et le vent. La lueur a été avalée par un talus et David a écouté un instant le bruit décroissant de ses pas, les craquements des branches et des brindilles, puis s'est dirigé en sens inverse.

Il a marché à tâtons, dans l'éclairage lunaire. Les pins s'alignaient innombrables, massifs, gris, noirs, argentés. L'air salé lui frôlait la nuque, sans force. De petites feuilles humides adhéraient à ses chaussures, les branchages touffus se frottaient durement à ses épaules.

Il a atteint la route d'où il voyait à bonne distance les néons des enseignes et les vitres éclatantes du restaurant. Le vent l'a tout de suite repris dans son étreinte. Les rares habitations s'étaient fondues dans la noirceur. Il a encore une fois consulté sa montre. Il s'était absenté un peu plus d'une heure, il arriverait de justesse au rendez-vous. Il parlerait brièvement à Vincent et repartirait aussitôt. Il a remonté la chaussée, est allé directement à sa voiture. Trois autres véhicules étaient encore rangés à leur place dans l'ombre, luisants de la faible lueur des lampadaires. Le son de ses pas sur l'asphalte lui a paru irréel. Il a démarré et a viré pour reprendre la route. Il a écouté le ronflement étouffé du moteur et le bruissement des pneus sur le sol. Il aurait dû se souvenir de la voix angoissée de Frederick Valentich, mais il ne se rappelait plus que du bruit qui l'avait couverte, cillant dans sa poitrine, le bruit indescriptible de la nuit où il allait perdre son frère quelque part dans le monde.

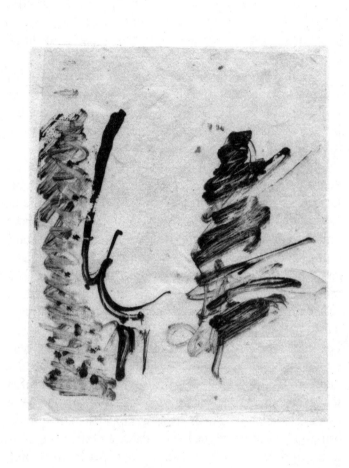

DOMINIC TARDIF

L'invention du shampoing

si j'avais à te laisser chérie je ne le ferais pas tu me
connais j'aime beaucoup trop ta machine à café Breville ça
a l'air con dit comme ça mais ta machine je l'aime vraiment tu sais moi je n'ai pas les moyens de m'en procurer
une toi non plus à vrai dire tu n'as jamais eu les moyens
de t'offrir une machine à expresso c'est ta mère qui te l'a
offerte elles sont étranges les mères ta mère en tout cas est
étrange t'offrir une machine à café expresso à 400$ dont
tu n'as pas besoin alors qu'elle a refusé obstinément tout
ton cégep durant de te donner un seul sous pour payer
ton loyer je ne sais pas trop pourquoi je pense à ça alors
qu'on vient de se coucher et que je dois me lever à 6 h et
que j'ai la chance de dormir toute la nuit collé contre toi
ou plutôt je le sais mais je n'ose pas y penser je me trouve
un peu gamin je n'ose pas y penser c'est con ce que j'ai fait
on dirait que j'apprends pas de mes erreurs o.k. oui j'ai
encore bu un cappuccino en attendant que tu reviennes
du travail je sais c'est pas intelligent résultat ça bouge
comme une discothèque dans ma tête ce serait un bon
titre d'album-retour pour Martin Stevens ça *Une discothèque dans la tête* tu ne penses pas chérie tu sais Martin
Stevens le gars qui chantait *Love is in the air* ma mère m'a
déjà raconté qu'elle l'avait vu en spectacle et que son pantalon était si serré qu'on pouvait voir son sexe ma mère
me disait aussi que j'ai vraiment beaucoup trop de pellicules comme maintenant sur l'oreiller c'est quoi l'idée
d'acheter des taies d'oreiller vertes forêt aussi oui je sais je
devrais arrêter de me laver les cheveux avec le gel douche
mais tu sais moi j'oublie toujours ce genre de conseil-là

j'oublie toujours l'invention du shampoing de toute façon
c'est pas si grave que ça les pellicules c'est pas aussi préoc-
cupant qu'Hubert Reeves l'astrophysicien l'autre soir au
Téléjournal avec Bernard Derome il disait qu'il s'était fait
installer dans son salon un gros cadran rouge avec le
temps qu'il reste à la planète ça descend chaque seconde,
chaque seconde une seconde de moins à la planète mais il
ne veut pas le dire Hubert Reeves combien de temps il
reste il garde ça pour lui mais on peut le croire je crois il
porte toujours des cols roulés ça lui confère une aura de
sagesse c'est fiable un gars en col roulé donc c'est ça je t'attendais tantôt tu devais être en train de vendre une autre
bouteille de parfum à une autre vieille madame qui va
magasiner le jeudi soir et là je me suis fait un cappuccino
avec ta machine à toi mais avec mon lait à moi oui je ne
te l'avais pas dit il n'y a plus de lait dans ton frigo mais ne
t'inquiète pas j'ai emmené le mien tu pourras en mettre
dans tes Corn Flakes demain matin le cappuccino était
bon oui mais là à cause de lui j'en suis à chercher les raisons pour lesquelles je ne te laisserais pas si j'avais à te laisser démarche intellectuelle plutôt absurde si tu veux mon
avis non chérie va pas croire que je veux te laisser je veux
rester avec toi je t'aime voilà tout je dirais même que je
t'aime à la folie mais j'hésite à le dire je sais que tu études
en littérature tu en as lu des tonnes de déclaration
d'amour tu dois penser qu'aimer à la folie ce n'est pas fort
fort ce n'est pas trop convaincant surtout que moi aussi
j'étudie en littérature j'en ai lu des déclarations d'amour
je suis supposé savoir quoi dire je suis supposé être
quelque chose comme un intellectuel ou un intellectuel
en devenir si tu préfères oui dans un an et demi je vais
avoir un diplôme d'intellectuel et j'espère que je serai
capable de te dire mon amour plus qu'à la folie je sais je
devrais m'appliquer à trouver mieux tout de suite tu pourrais partir avec un autre gars quoiqu'il n'y a pas trop de
danger présentement tu dors dur chérie le cappuccino
dans mes veines me fait tourner d'un côté et retourner de
l'autre avoir la pitourne que ma mère disait quand j'étais
petit quand je n'étais pas capable de m'endormir à cause
de toutes les raisons sauf le cappuccino tu sais je ne buvais
pas de cappuccino à 9 ans tu dors dur chérie tu ne te

réveilles pas même si le cappuccino me fait pitourner tu ronfles même un peu chérie mais ce n'est pas une raison pour ne pas faire d'effort pour t'écrire mon amour mon amour je voudrais surtout pas que tu deviennes fatiguée d'aimer à 25 ans ça arrive ça être fatigué d'aimer je le sais que ça se peut Patrick Nicol l'a dit l'autre jour au *Téléjournal* avec Réjean Blais oui tu sais Patrick Nicol l'auteur qui a écrit le truc avec Paul Martin dans le titre il disait qu'à 40 ans souvent on est fatigué d'aimer il parlait de son dernier livre à la journaliste juste avant qu'elle dise la météo elle annonçait du soleil pour le lendemain mais demande-moi pas s'il a effectivement fait soleil faut que je me souvienne demain de mon idée sur la fatigue d'aimer oui comme l'idée de Patrick Nicol mais moi c'est à 25 ans ma fatigue pas à 40 ni à 30 ans ma fatigue faut que je me souvienne aussi d'envoyer une lettre à Patrick Nicol je vais trouver son adresse sur Internet et lui dire qu'il s'est trompé que c'est à 25 ans qu'on est fatigué d'aimer quoiqu'il s'est peut-être pas trompé il pense peut-être comme moi c'est sûrement juste que comme ses personnages dans son livre ont 40 ans ça sert à rien de parler à une journaliste du *Téléjournal* de Réjean Blais de la fatigue d'aimer à 25 ans juste pour me faire plaisir faut que je me souvienne demain de ne pas envoyer de lettre à Patrick Nicol mais faut que je me souvienne de mon idée sur les gens de 25 ans je pourrais faire quelque chose comme une nouvelle avec ça je pourrais prendre la fille qu'on a vue la semaine dernière au resto tu sais la fille qui mangeait des moules à côté de nous et qui racontait à son amie qui mangeait autre chose espérer pouvoir se faire rembourser ses leçons de tango parce qu'elle avait laisser son chum et que justement c'était lui son partenaire de tango je pense que je ne me trompe pas si je dis que cette fille-là est fatiguée d'aimer en plus elle avait même pas 25 elle avait quoi 22-23 pas plus déjà fatiguée d'aimer à cet âge-là c'est plate je pourrais m'asseoir demain me faire un bon cappuccino et écrire une nouvelle sur la célibataire qui mangeait des moules qui dansait le tango mais demain c'est *Lance et compte* à 9 h et tu sais 9 h c'est mon heure pour écrire et *Lance et compte* c'est plus important après-demain peut-être je pourrais l'écrire cette nouvelle-là ou je pourrais essayer de t'écrire un texte à toi pour pas que tu te fatigues.

CLAUDE VAILLANCOURT

Le fou des livres

La plupart des gens aiment se fixer des dates butoirs auxquelles sont reliées les plus diverses résolutions : avant la fin du mois, de la semaine, de l'année, je lis tel ou tel livre, j'écris à une amie perdue de vue, j'entreprends ce changement majeur dans ma vie dont je rêve depuis trop longtemps. Ces bonnes intentions ressemblent le plus souvent aux résolutions du jour de l'An. Elles meurent tout bonnement, dans l'indifférence, réapparaissent parfois comme un vague remords lorsqu'on s'aperçoit enfin qu'on ne les a pas accomplies.

Quant à moi, j'ai pourtant considéré avec beaucoup de sérieux le double objectif que je m'étais fixé avant d'atteindre l'âge de trente ans :

— Mener une vie normale. C'est-à-dire m'intégrer harmonieusement à mes semblables, ne pas heurter par mon apparence, parvenir à dire avec conviction des choses banales. Me trouver un travail, certaines qualifications particulières (mais pas trop), aimer, faire l'amour, manger en agréable compagnie, voyager. Éviter d'être montré du doigt, d'alimenter les ragots. De façon générale : me plaire en compagnie des gens.

— Lire les plus grandes œuvres de la littérature. Et plus particulièrement les romans, les gros romans qui ont marqué l'imaginaire collectif. Parcourir une liste impressionnante, qui commence avec L'*Iliade* et L'*Odyssée*, se multiplie avec les chefs-d'œuvre du réalisme, de Stendhal à Zola, s'enfonce dans les labyrinthes des romans russes de Dostoïevski et Tolstoï, ressurgit avec les incontournables du XXᵉ siècle, les Proust, Kafka, Joyce, Musil, Thomas

Mann, Faulkner, Woolf, Kundera, Duras, Eco et compagnie.

Certes, j'avais mal jugé la profonde contradiction entre ces deux projets.

*

Lire en grande quantité était en soi un premier accroc à mes intentions de devenir un adulte normal. À l'école pourtant, on ne cesse de nous expliquer à quel point il demeure important de lire, à quel point il faut s'introduire dans l'univers des grands auteurs, qu'on nous prescrit comme une puissante médecine nous permettant de mieux comprendre les subtilités de l'âme humaine et la rude joute des bouleversements sociaux.

Ces recommandations, pas plus que les bonnes intentions, ne tiennent le coup devant les exigences de la dure réalité. D'après ce que j'ai pu observer, pour l'individu normal, vaguement cultivé, la lecture de grandes œuvres relève plutôt de l'intention, du projet régulièrement annoncé, voire de la promesse d'ivrogne. Le parcours du lecteur normal s'accomplit lentement, étape par étape, se voit sans cesse obstrué par les mille et une obligations de la vie de tous les jours, ou carrément détourné par l'attraction plus forte de l'écran de télévision ou de l'ordinateur. L'individu véritablement préoccupé de culture au sein de la masse demeure une exception, et la lecture acharnée d'auteurs le plus souvent décédés reste une occupation suspecte et marginale.

Si bien que celui qui lit beaucoup, qui s'acharne à lire dans un monde qui court après sa queue, est vu sans ambages comme un être inquiétant, pas tout à fait normal. Les grands auteurs eux-mêmes ont contribué à alimenter le mythe du lecteur fou, par les Don Quichotte et Madame Bovary qui se sont succédé – personnages dont l'insanité, causée par une trop forte consommation de livres, menace comme une épée de Damoclès au-dessus du lecteur invétéré. Leurs discours rejoignaient paradoxalement celui des curés et autres moralisateurs qui les censuraient et soulignaient à la moindre occasion les méfaits des fabulations et des histoires immorales sur les esprits fragiles.

Aujourd'hui, il est vrai, plus personne ne cherche à censurer les livres. Mais la lecture de grandes œuvres, devenue souffrante et difficile, contrairement à des activités plus saines, comme s'avachir devant la télévision, ou s'éclater dans un bar archi bondé, se transforme en une absurde offense contre l'hédonisme ambiant. Ou bien le grand lecteur soulève une forme d'admiration, comme l'athlète qui vient de réaliser un exploit certes admirable, mais douloureux, inutile. Ou bien il se heurte à beaucoup d'incompréhension, lui qui parvient à passer de longues heures immobile, devant des pages sur lesquelles rien ne s'anime, forcément ennuyeuses à mourir.

*

Pour combiner deux objectifs quasiment irréconciliables, j'ai décidé de ruser, de lire sans qu'on me voie, presque en cachette, ou de façon à ce que jamais la lecture ne paraisse suspecte et vienne interférer dans une vie que j'espérais en apparence normale.

Ainsi, ai-je beaucoup lu la nuit. Mes heures gagnées à la lecture étaient des moments volés à la nuit, au sommeil. Comme si je remplaçais mes rêves nocturnes par d'autres, ceux bien éveillés dans lesquels me plongeaient les livres. Personne ne pouvait deviner que je lisais ainsi, sous l'éclairage discret d'une petite lampe, alors que l'immense majorité des gens s'abîmaient dans un sommeil profond. Certains pouvaient parfois être intrigués de me voir les traits tirés le matin, émergeant péniblement au milieu de l'avant-midi. Mais on pouvait attribuer ces écarts à une vie de fêtard impénitent, qui me donnait l'allure d'un rebelle, figure admirée s'il en est, tout en cachant habilement mon anormalité.

De longs et nombreux voyages m'ont aussi permis de lire en secret. Qui se préoccupe du lecteur absorbé dans un train, un autocar ou une salle d'attente ? De toute façon, dans ces lieux de passage, personne ne connaît personne. Seuls les actes de folie agressifs ou spectaculaires suscitent ouvertement la désapprobation. Le lecteur n'at-tire aucun regard, sinon parfois un air de curiosité de la part de ceux qui parviennent à circuler tout bonnement pendant des kilomètres, sans s'adonner à une occupation particulière. Ainsi, ai-je lu *L'homme sans qualités* dans les trains et les gares d'Europe, *Le docteur Faustus* en traversant l'ennuyeuse immensité des plaines canadiennes, *Sur la route* en Californie, par manque total d'imagination, Balzac au Maroc, Stendhal en Égypte, en surréalistes contrepoints à ce que je découvrais lorsque je levais les yeux.

Mes études littéraires ont aussi été une forme de camouflage. Qui reproche à un étudiant de faire son devoir ? Même si celui-ci consistait, en première année, à l'université où je m'étais inscrit, à lire quatre-vingt livres tirés d'une liste de plusieurs centaines de titres, un nombre normal pour moi, qui me plaignais pourtant en chœur avec mes camarades de ce travail inhumain, afin de mieux m'intégrer au groupe. (Cette obligation a depuis été retirée ; après tout, il ne fallait plus imposer de façon discriminatoire l'anormalité à une population ciblée d'étudiants, qu'ils aient ou non choisi la littérature comme champ d'intérêt…)

En revanche, j'ai échoué lamentablement à paraître normal à la lecture de chacun des grands et volumineux romans de Dostoïevski. Confiné dans ma chambre pendant les deux ou trois jours dont j'avais besoin pour les parcourir, incapable de sortir, parler, manger ou dormir tant que je n'avais pas terminé, je me relevais de l'expérience déconfit, épuisé, le visage défait, avec ce regard fou, hagard, que décrit si bien chez ses personnages l'écrivain que je venais de lire…

*

Si bien qu'à l'âge de trente ans, j'avais bel et bien réalisé le deuxième de mes objectifs.

Quant au premier, je n'en sais plus rien. Avant l'âge de trente ans, on a bien souvent une vision remarquablement précise de ce qu'est la normalité ; les choses changent par la suite. Peut-être devenons-nous un peu comme les psys qui utilisent ce mot avec répugnance ; peut-être ressentons-nous moins le poids du regard de l'autre ;

peut-être sommes-nous tous secrètement convaincus que c'est la normalité qui, en fait, devient en fait anormale… Peu importe.

Il me reste désormais tous ces livres lus trop vite, trop tôt, trop mal, et parfois sans les comprendre, emporté que j'étais dans un curieux marathon. Des livres qui me hantent. Et qui me permettent parfois, à la bonne franquette, d'exprimer un commentaire savant à leur égard. Des livres, pour moi, comme des balises dans les réminiscences du temps perdu, ou qui réapparaissent, avec surprise, comme le remboursement d'une dette oubliée. Des livres que je redécouvre, incapable toutefois d'y jeter un regard entièrement neuf. Des livres qui me rappellent un autre moi, pourtant si près de ce moi familier du temps présent…

Et ces livres, malgré tout, amassés comme de vieux trophées, avariés par les carences de ma mémoire, je les conserve en moi comme un précieux trésor.

Lettre à un écrivain vivant

Jean-Paul Gavard-Perret à Elfriede Jelinek

Portrait de l'écrivain en enfant des morts

Chère Elfriede Jelinek,

Sachez d'abord que votre œuvre m'a toujours fait éprouver des sensations contradictoires entre ses pulsations d'histoires lourdes d'aliénation et de domination dans lesquelles on ne sait pas forcément qui mange qui. Je voudrais aussi vous exprimer ma gratitude pour la dénonciation des mécanismes d'oppression ainsi que ma jubilation pour l'usage que vous faites de la langue. Je comprends qu'une telle langue peut créer un « malaise » pour certains, malaise qui tient à votre âpreté langagière propre à mettre à nu le caractère implacable des relations humaines et qui insère comme vous le disiez un jour dans un entretien radiophonique « *son grain de sable dans ce rouage infernal* », vous la fille d'un père juif destitué de son travail de chimiste mais qui travailla pour l'industrie de guerre nazie et qui n'a survécu qu'en faisant marcher le système nazi au moment même où cinquante membres de votre famille disparaissaient dans les camps. Votre père en devint fou et il vous a fallu passer votre soixantaine afin d'écrire de superbes textes sur ce père que vous aviez si peu évoqué jusque-là : c'est donc depuis peu que vous vous coltinez avec cette folie du père, avec cet obscurcissement progressif de la raison.

Vous dites d'ailleurs à propos de cette histoire personnelle et collective : « *je suis une femme de ménage qui ramasse les débris de l'Histoire* » d'un pays dont vous parlez comme d'un cloaque merveilleux. On n'a pas toujours compris chez vous votre humanisme et votre résistance qui ne faiblissent jamais. Votre écriture appartient à ce que définit Kafka, un de vos auteurs préférés, « *la littérature c'est un coup de hache sur une mer gelée* ». Mais, paradoxalement votre écriture frôle la musique, une musique qui bouleverse tout, le haut et le bas et qui fait passer votre pensée par votre corps. Tout est affaire de rythme, d'accélérations, de coups de frein. Parfois il faut attendre la suite. Et vous nous manipulez habilement, presque sadiquement : on lit un texte et on en entend un autre. Vous multipliez d'ailleurs les leurres comme l'écrivain suisse Robert Walser, qui représente pour vous l'écrivain majeur. « *C'est comme un kaléidoscope. Son univers est tout entier contenu dans chaque point et je dois dire que je cache toujours une phrase de Robert Walser dans chacun de mes livres* », dites-vous de lui.

Vous demeurez incontournable même si peu à peu vous vous retirez du monde que vous avez toujours combattu. Dès les années 80, en Autriche, vous étiez sur les barricades, et vous procédiez à un double engagement : politique et littéraire. Votre écriture n'a donc rien d'une littérature de chevet. Pourtant – et tous ceux qui vous ont rencontrée en témoignent – vous êtes quelqu'un de tendre, d'affectueux. Certes, vous éprouvez une peur pathologique de l'autre. Cette peur se retrouve à l'œuvre dans votre écriture en ce qu'elle possède d'étouffant, d'asphyxiant. C'est pourquoi beaucoup de lecteurs disent ne pas pouvoir vous lire. Pourtant il existe chez vous une masse de tendresse et de jubilation. Dans *Les professeurs de désespoir*, Nancy Huston note que vous n'êtes pas une destructrice. En effet, vous ne réduisez pas l'homme au néant et votre conscience du langage permet de comprendre que celui-ci est la prison de l'homme, et son émancipation passe par la conscience de cette muselière que sont les phrases et les mots appris par dressage. Ainsi il n'y a pas de rapport aux mots naïf chez vous.

Bien sûr, vous avez mis en scène (ou en mots) le rapport homme / femme et le problème de la domination. Mais vous avez su exprimer un féminisme particulier, celui qui jette une lumière crue sur l'obscène – j'entends par ce terme tout ce que cache la société. On se souvient par exemple de votre nouvelle où une femme demande à un homme de se masturber devant elle. Et à la fin du texte, il y a une tache sur le canapé. Et tout se passe chez vous comme si le lecteur (ou la lectrice) devait voyager de tache en tache. Depuis les années 90, certes vos textes sont plus cryptés, plus chiffrés. Ils abordent les personnages et la narration d'une façon particulière. Votre écriture tend à devenir une sorte de flux mental. Voilà pourquoi votre travail est d'une si grande richesse. Il est violent, radical et s'élabore avec la forme de son temps. Vous écrivez d'ailleurs de manière tout aussi violente dans vos gestes. Vous écrivez très vite et vous avez indiqué – pour justifier cette rapidité d'exécution – que vous ne seriez pas détruite par votre littérature. Vous ajoutez que d'autres femmes ont payé pour ça (V. Woolf en est un bon exemple) mais que vous avez appris à vous défendre.

Ajoutons qu'à votre manière vous continuez à être une grande pianiste et ce par procuration en écrivant à l'ordinateur, grâce au jeu du clavier. Votre mari informaticien vous a initiée à cette manière d'écrire et vous a aidée à créer votre blog personnel : vous y réagissez à l'actualité par Internet. Vous faites donc partie de la grande épopée de la littérature par le Net. Écrivant au sortir de la nuit, donc après vos rêves lorsque le petit jour se pose sur eux, vous restez alors seule, sans aucun contact radio ni médiatique et vous contrôlez votre mise en danger, car vous voulez vivre uniquement dans le plaisir, la jubilation de l'écriture. Votre vraie vie finalement, c'est l'instant où vous écrivez, où vous faites confiance au mouvement propre de votre langue même si vous y côtoyez toujours l'abîme.

Vous demeurez cependant pour moi une grande Viennoise, une citadine dont l'imaginaire est paradoxalement montagnard. Vos parents avaient une maison en Styrie et vos séjours là-bas ont impressionné votre mémoire (décors de lacs, de montagnes) Mais ce qui me fascine reste que le travail n'est pas chez vous d'un unique chemin tracé, c'est plutôt un réseau, un mycélium. Vous travaillez dans toutes les directions à la fois : théâtre, nouvelles, pièces pour la radio, romans, etc. Vous allez au bout de toutes les possibilités, chaque fois, et si vous changez de genre c'est afin de voir comment l'énergie circule et par lequel les choses vont se transformer.

Et si votre vision des relations hommes / femmes est désenchantée, vous dépassez ce clivage en évoquant plutôt des principes masculins et des principes féminins, comme c'est le cas dans *Les amantes* où le masculin et le féminin sont à l'intérieur de la même personne. Et le principal scandale pour vous demeure que la femme n'ait pas de langage. Certes, vous décrivez la montagne avec des attributs très féminins, vous parlez de culotte de cheval, de varices. Votre littérature est très anthropomorphique, mais à mesure que vous y avancez vous attaquez le corps, il devient « le cardigan ensanglanté » dans votre dernier roman, même si vous finissez par abstraire le corps. Cela devient très cérébral dans vos derniers livres où l'on découvre cependant une lecture impitoyable de la souffrance mais qui n'est pas présentée comme une apothéose.

Dès lors votre situation par rapport à l'amour demeure ambiguë. On se souvient de la fameuse phrase : « Et vous, vous savez ce qu'il en est de l'amour ? » Vous répétez souvent dans vos textes que les gens ne parviennent pas à s'aimer, que le combat pour aimer est perdu provisoirement. Pour vous, si l'amour existe en théorie, la structure sociale ne le permet pas. C'est pourquoi vous démystifiez l'amour en tant qu'impossibilité présente. L'être se croit libre d'aimer, il croit être individualisé, alors qu'il est extraordinairement prisonnier. Prisonnier des médias, des stéréotypes de la télé, des magazines féminins : tout cela fait écran à l'amour. À ce titre, le rapport avec les hommes est chez vous un rapport trivial, il y a un manque de communication. D'autant que pour vous il n'existe pas d'individualisation réelle, il n'y pas, comme Goethe l'a déjà dit, de véritable identité personnelle, il y a des structures, des affinités. Chacun dans son rôle fait tourner la ma-chine. La question à se poser est alors la suivante : À quel niveau de la machine chacun fait-il tourner l'ensemble ? Vous montrez par là même la grande proximité entre le crime et la littérature : je sais que vous épluchez les faits divers et que vous vous passionnez pour les tueurs en série. Pour vous, l'écriture féminine reste une transgression de l'ordre du criminel.

On ne peut pas encore dire qui et ce que vous êtes. Êtes-vous moderne ? Êtes-vous classique ? Ce qui est certain, c'est que vous vous exprimez avec la puissance d'un flot verbal, et le rapport à l'œuvre ne passe pas par l'admiration ni la contemplation. Vous écrivez d'ailleurs : «*Je vois le laid, je vois le beau.*» Ainsi, à nos temps troublés vous répondez par votre magma, vos concaténations, votre «musique» très contemporaine – même si vous demeurez proche de Schumann et surtout de Schubert. Vous êtes plus sévère envers Mozart. Enfin, j'espère que votre prix Nobel vous a donné du repos, mais vous n'avez pas le sentiment d'effectuer un parcours personnel : pour vous, l'expérience cardinale reste celle de la domination, c'est quelque chose qui écrase les êtres et vous fait continuer votre combat.

J'attends donc avec impatience votre prochain roman *Les enfants des morts* pour comprendre un peu mieux la mort que l'on se donne et qui nous est donnée, mais comment aussi le «jeu» de la mort fait celui de la vie. Acceptez mes hommages et mon admiration.

NOTICES BIOBIBLIOGRAPHIQUES

MATHIEU ARSENAULT est né en 1976, il vit à Montréal. Malgré un doctorat en littérature, une collaboration régulière à la revue *Spirale* et le fait que son premier récit, *Album de finissant* publié chez Triptyque, ait remporté un certain succès, il ne sait toujours pas ce qu'il fera dans la vie. Il termine tout de même présentement son deuxième manuscrit.

IRIS BATY, 26 ans, est une jeune professeure de lettres en Normandie. Elle a participé aux ateliers d'écriture du Prix du jeune écrivain. Elle a publié trois nouvelles dans des revues québécoises : « Kes » dans *Zinc* n° 4, « Obsessionnelle compulsive » dans *Arcade* n° 64 et « Ma première fois » dans *Virages* n° 34.

FULVIO CACCIA a publié chez Triptyque plusieurs recueils de poésie, dont *Irpinia* (1983), *Scirocco* (1985) et *Lilas* (1998). En 1994, il obtenait le Prix du gouverneur général du Canada pour *Aknos* (Guernica) et publiait la même année un recueil de nouvelles, *Golden Eighties* (Balzac éditeur). *Le secret*, son troisième roman, termine une trilogie comprenant *La ligne gothique* (2004) et *La coïncidence* (2005) déjà parus chez Triptyque.

MICHEL CÔTÉ Poète et artiste visuel, Michel Côté a publié ses recueils et ses livres d'artiste aux Éditions Triptyque, aux Éditions Roselin, à l'URDLA (France) et aux Éditions du Noroît. Finaliste au concours national de Livres d'artiste du Canada (*Blanc/Noir et Blanc*), lauréat à l'Alcuin Citation Awards, Vancouver (*À force de silence*), au Musée Imadate, Japon (*Le jour comme un souffle*) et finaliste aux prix Odyssée, Québec (*Au commencement la lumière*). Il a enseigné la philosophie, dont la pensée chinoise. Ses œuvres sur papier ont été exposées au pays, en France et au Japon.

Âgé de 59 ans, JEAN-PAUL GAVARD-PERRET enseigne les communications et poursuit une recherche et une réflexion littéraires ponctuées d'une vingtaine de livres de textes brefs, les derniers en date étant *Trois faces du nom*, (L'Harmattan), *Chants de déclin et de l'abandon*, (Pierron, 2003), *À l'épreuve du temps*, (Dumerchez, 2003), *Donner ainsi l'espace*, (La Sétérée, 2005), *Porc Épique*, (Le Petit Véhicule, 2006), ou d'essais dont *Samuel Beckett, l'imaginaire paradoxal et la création absolue*, (Minard, Paris).

Romancier, nouvelliste et essayiste, JEAN PIERRE GIRARD est né au Québec en 1961. Auteur de chroniques de voyage, *L'Est en West*, et de cinq recueils de nouvelles dont *Silences*, prix Adrienne-Choquette 1990, il a mérité la médaille de bronze des Jeux de la Francophonie à Madagascar (1997), le Grand Prix Desjardins de la culture (1997) et le prix de la création artistique du Conseil des Arts et des Lettres du Québec (2002). En 2003, il a publié *Le tremblé du sens*, un essai sur la personnalité créatrice et les phénomènes de création, et il se consacre maintenant à *La cathédrale*, un cycle de huit livres dont *Les inventés* (roman, 1999) est la pierre d'assise. Il préside le Collectif d'écrivains de Lanaudière (CEL) depuis sa fondation, le jury québécois du prix des Cinq Continents de la Francophonie, et il a mis sur pied Les Donneurs, une activité d'écriture publique qui revisite l'esprit du don par le biais de foyers d'écriture animés par des écrivains professionnels (<www.lesdonneurs.ca <http ://www.lesdonneurs.ca> >).

ROBERT GIROUX dirige les destinées des Éditions Triptyque et de la revue *Mœbius* depuis 1980. Professeur de lettres, choriste contagieux, amateur avisé de la chanson francophone, il a collaboré à des publications collectives et à de nombreuses revues culturelles, tant au Québec qu'en Europe francophone.

JACQUES JULIEN aime lire Derrida, Kafka, Nietzsche et James Joyce, et trouve l'inspiration dans les images de Paul Klee, M. C. Escher et Henri Michaux. Il pratique le dessin, la musique, l'écriture, la philosophie et l'humour. Il a publié chez Triptyque *Robert Charlebois, l'enjeu d' «Ordinaire»*, un essai sur la chanson populaire, de même qu'un recueil de nouvelles (*Le cerf forcé*) et deux romans (*Le rêveur roux : Kachouane* et *Big Bear, la révolte*).

LUC LAROCHELLE a été finaliste au prix Alfred-DesRochers 2001 et au Prix de l'Académie 2001 pour son premier recueil de nouvelles, *Ada regardait vers nulle part*, paru aux Herbes rouges à l'automne 2000. Un deuxième recueil de nouvelles, *Amours et autres détours*, est paru à l'automne 2002 chez Triptyque où il a publié à l'automne 2004 un premier recueil de poèmes intitulé *Ni le jour ni la nuit* (finaliste du prix Alfred-DesRochers 2005). Il est membre fondateur de la revue *Jet d'encre*.

CHRISTIANE LAHAIE est née à Québec en 1960. Elle a étudié à l'Université McGill et à l'Université Laval. Elle est maintenant professeure de création littéraire à l'Université de Sherbrooke où elle mène des recherches sur la littérature québécoise contemporaine. Elle a publié des essais (avec Georges Desmeules), de la poésie et de la fiction. En 2004, elle a mérité le Grand Prix du livre de la ville de Sherbrooke pour *Hôtel des brumes* (L'Instant même) ainsi que le prix Alfred-DesRochers 2005 pour *Chants pour une lune qui dort* (Trois).

BERTRAND LAVERDURE est né engourdi (1967). A pleuré peu mais intensément. A aimé peu mais malheureusement. Il a publié plusieurs titres de poésie au Noroît dont *Rires* (2004). Il a fait paraître un roman aux Éditions Triptyque, *Gomme de xanthane,* en 2006. Il a travaillé dans l'édition et en est sorti, heureusement. Trop de stress. Il est également journaliste littéraire, dramaturge, librettiste, amant, provocateur, embêtant et narcissique. Sa théorie : un écrivain est un solitaire ergonomico-social qui essaie d'être à l'aise avec vous et ses lubies. En somme, Bertrand Laverdure est un polygraphe.

BRUNO LEMIEUX est originaire de l'Estrie et il aime les balades en voiture au temps des pommes. Professeur de lettres et de communications au Cégep de Sherbrooke, il s'intéresse à la production romanesque contemporaine et à la transmission de la culture ; à cet égard, il est à l'origine du Prix littéraire des collégiens. Privilégiant le texte court, il écrit des nouvelles et des suites de poésie qu'on peut lire dans diverses revues : plus récemment *Art Le Sabord, Biscuit chinois, Jet d'encre* et *Mœbius*. Auteur de textes de chanson, Bruno Lemieux a reçu en 2006 le premier prix du Concours national de paroliers « Chanson pour tes yeux ». Quant au reste, il n'aime pas parler de lui à la troisième personne.

HÉLÈNE LÉPINE voyage au gré des mots, des phrases, d'un texte à un autre. Elle a écrit des nouvelles, un premier roman, *Kiskéya, chroniques de l'envers d'une île* (1996), et un recueil de poésie, *Les déserts de Mour Avy* (2000), tous deux publiés aux Éditions Triptyque. En 2006 est pubié son second roman,

Le vent déporte les enfants austères, également chez Triptyque. Elle a obtenu une mention d'excellence de la Société des écrivains canadiens pour son recueil de poésie.

Né en 1973, TRISTAN MALAVOY-RACINE est secrétaire arts & livres à l'hebdomadaire *Voir* depuis 2003. Il a collaboré à bon nombre de revues et journaux, fait de la radio, et a publié, parallèlement, trois recueils de poésie (Triptyque, 2001 à 2006) ainsi qu'un album de poésie chantée, *Carnets d'apesanteur* (Coronet liv/Audiogram, 2006). Il vit à Montréal.

YVES MASSICOTTE est né en 1934, à deux pas de la librairie Olivieri et presque en face de chez Renaud-Bray, comédien de métier, après des études classiques, il eut souvent l'occasion de rencontrer des gens de belle culture qui lui ont donné le goût de lire et d'écrire. Il remercie la direction de Triptyque de publier un de ses écrits dans leur prestigieuse revue *Mœbius*, et Monique Miville-Deschênes, l'aimable poétesse, qui accepte que son texte soit jumelé au sien. Il en est très honoré.

ÉRIC McCOMBER est encore capable à 41 ans de scorer au cosom, il a fait paraître *Antarctique* et *La mort au corps* aux Éditions Triptyque, ainsi qu'une douzaine de nouvelles ignobles dans des revues littéraires québécoises. L'auteur tente mollement de décrisser dans le bois, terrifié par l'inéluctable et imminente invasion de l'Occident par l'Armée populaire de Chine. Sinon, gataar, scotch, havanes…

CHRISTIAN MISTRAL sera propulsé à l'avant-scène littéraire en 1988 avec la parution de *Vamp* qui, avec *Vautour, Valium* et *Vacuum*, fonde la tétralogie *Vortex Violet*, Christian Mistral est également parolier, notamment pour Dan Bigras. On connaît aussi de lui un scénario, *Julien Vago*, ainsi qu'un long poème, *Fatalis,* et plusieurs écrits publiés dans diverses revues. En 2004 paraissait chez Triptyque une anthologie de ses poèmes et chansons intitulée *Fontes*.

MONIQUE MIVILLE-DESCHÊNES est née en mai à Saint-Jean-Port-Joli. Elle chante et écrit pour pister son chemin. Tout est dit. Elle ajoute qu'au printemps 2006 paraissait son nouvel album titré « Qui suis-je… » Elle est convaincue qu'il est très beau. Vous ne l'entendez pas ? Tout est là ! Son grand défaut : ne pas savoir aller sur la Place du Marché. Voilà. Vous savez presque tout. Membre de l'UNEQ. Ouvrages publiés : *Une croix de chemin* (Fides), *Le bonhomme tombé du ciel* (Novalis), *Au pays des miens* (La Plume d'Oie), *Chansons de Cours-nu-pieds* (Triptyque). Un roman à venir…

Quand elle n'écrit pas (paresse, manque de foi, bon film à la télé), SUZANNE MYRE essaie d'oublier qu'elle devrait le faire. Elle s'est quand même commise dans *Jet d'encre, Virages, Brèves littéraires, Mœbius, XYZ, Les écrits, Zinc,* etc. Elle a publié *J'ai de mauvaises nouvelles pour vous* en 2001, a remporté le 1ᵉʳ prix des Grands Prix littéraires de Radio-Canada puis *Nouvelles d'autres mères* a vu le jour et s'est mérité le prix Adrienne-Choquette. *Humains aigres-doux* est suivi par *Le peignoir*, sorti de la garde-robe de Marchand de feuilles en 2005. Elle nous condamnera à lire *Mises à mort* en mars 2007.

MARIE HÉLÈNE POITRAS publiait en 2005 *La mort de Mignonne et autres histoires* (Triptyque), un recueil de nouvelles très apprécié des critiques, en nomination au Prix des libraires. Son premier roman *Soudain le Minotaure* lui a valu notamment le prix Anne-Hébert en 2003 et vient d'être réédité en format de poche et en traductions anglaise par Patricia Claxton (DC Books) et espagnole chez l'éditeur mexicain Paraiso Perdido. Elle est critique musicale à l'hebdomadaire *Voir* et pour l'émission *Flash*.

MATTHIEU SIMARD est né à Montréal en 1974. Il a étudié le droit et le journalisme, deux domaines qui ne l'intéressent pas du tout. À ce jour, il a publié quatre romans : *Échecs amoureux et autres niaiseries*, *Ça sent la coupe*, *Douce moitié* et, à l'automne 2006, *Louis qui tombe tout seul*.

CARMEN STRANO vit à Montréal où elle est bibliothécaire de référence dans une bibliothèque de quartier. Elle a publié en 2001 chez Triptyque *Les jours de lumière*, un premier roman très bien reçu par la critique et, en 2006, *Le cavalier bleu*, un second roman tout aussi remarquable.

DOMINIC TARDIF se sent baveux en compagnie de ses amis Duquette ou Rick (ils sont imposants), moins en compagnie de Pigi, Sam ou Frank (ils sont sveltes). Il lancera un livre intitulé *Deux autres nuits à Rock Forest ou Un sac à dos vert menthe pour kid* aux Intouchables, du moins s'il croise Michel Brûlé à la Taverne Alexandre bientôt. Il étudie, mange, boit, dort, baise, écrit et écoute du rock'n'roll à Sherbrooke et boira plusieurs vodka-redbull pour ses 21 ans au mois de juin.

CLAUDE VAILLANCOURT a déjà publié un recueil de nouvelles intitulé *L'eunuque à la voix d'or*, quatre romans, *Le conservatoire*, *La déchirure*, *Les onze fils*, *Réversibilité* et un essai, *Le paradoxe de l'écrivain : le savoir et l'écriture*. Secrétaire général de l'Association pour une taxe sur les transactions financières pour l'aide aux citoyens (ATTAC-Québec) et membre du collectif de rédaction de la revue *À bâbord*, il est également enseignant en littérature au Collège André-Grasset.

LES YEUX FERTILES

FRANCE THÉORET
Une belle éducation
Boréal, 2006, 147 p.

J'en parle avec émotion, bouleversée, renouant par ce commentaire de lecture avec la recherche que je mène sur le journal de France Théoret. *Une belle éducation* réalise ce que l'autofiction donne à son meilleur : la mise en fiction d'une histoire vraie, des affects et de la réflexion portée sur eux à la distance critique d'un je retenu dans le personnage sujet, narratrice, cette grande fillette qui survit dans l'écrivaine adulte. Cet incipit demande que je l'épelle, que je l'élabore, mais je le conserve touffu et j'ajoute à sa complexité – à ma charge de tout aplanir – en citant l'extrait qui ne décide pas de l'effet « refoulé déplacé » de l'œuvre, mais prive le lecteur de toute esquive.

> J'ignore ce qui s'est passé. Je suis émue, extasiée devant ma propre liberté, j'imagine qu'un pareil moment ne reviendra pas. Ce qui est là me comble, il m'est impossible de poursuivre semblables instants. Je désire mourir. Je pense, en toute clarté, que je veux me suicider. La conduite désordonnée du chauffeur m'aide. Lorsqu'il atteint une grande vitesse, il fait s'ouvrir les portes. Je prends un élan, je m'envole et tombe dans la rue entre les rails et le trottoir. Ma tête frappe l'asphalte. Un bruit sec et sonore, le son d'une cassure brutale et irrémédiable retentit dans mon cerveau. Je perds conscience. J'ouvre les yeux le temps de m'apercevoir que je suis couchée sur le trottoir, que des inconnus m'entourent, que je ne peux plus bouger. Je suis inerte. Je rouvre les yeux, je suis couchée sur un lit d'hôpital, habillée de mon uniforme scolaire. Une infirmière signe mon congé. Ma mère me ramène à la maison. Il est cinq heures de l'après-midi.

Qui est cette adolescente qui a voulu mourir cependant que la mort peut aussi être une entrée, un saut, un élan vers un avenir délicieusement ouvert de connaissance, de liberté, de parole relationnelle ? Qui sont sa mère, sa famille, où est sa maison ?

L'histoire d'Évelyne est celle d'une adolescente coincée dans la pauvreté – on saurait vivre avec, si ce n'était du déni général –, l'inconscience d'un père épris de succès financier et de renommée qui mobilise pour ses projets, sans égard pour leur consentement ou leur refus, les forces vives, psychiques et physiques de sa femme et de ses enfants, jusqu'à les vider. Celle d'une mère aussi dont la déception et les frustrations implosent en démence. L'histoire de gens qui ne se parlent plus, sourds et aveuglés, et qui gueulent, celle d'un combat avec la dilution de la conscience de soi, corps, sentiments et affects, de la fille fusionnée à la souffrance de la mère aimée, à travers dévouement, effacement et musellement du désir propre d'une vie réalisante. C'est l'illustration de l'effet dévastateur d'une éducation religieuse, véhiculée par les parents, impropre au sacré, et qui fait subjectiver, confondues, l'impuissance, la responsabilité et la culpabilité.

Tout ce que les études ont représenté d'avenir, de communication, de réflexion, de culture, de présence à soi pour Évelyne est avéré dans « La quête des connaissances », ce fragment autobiographique de *Journal pour mémoire* paru à L'Hexagone en 1993 dont le cursus scolaire était le moteur de recherche. *Une belle éducation* a l'originalité de créer un effet de journal – titres de chapitres : janvier 1957, juillet 1957 – et d'autobiographie par l'emploi du présent historique, didactique, qui se désigne comme le présent d'un après-coup, celui d'un récit au je, qui repasse par des récits déjà tentés à part soi.

France Théoret écrit ici un conte qui emprunte à la tradition populaire des procédés narratifs : entrée inaperçue ou spectaculaire des actants, double ou triple mention des événements traumatiques (l'affrontement avec les rats, la demande du père à Évelyne de travailler à l'épicerie, Évelyne et sa sœur nettoyant le plancher). Les formules qui reprennent un thème, identiques ou à peine variées, introduisent des tableaux qui, augmentés, superposés, surexposés, tirent d'un néant qui n'est pas l'oubli mais la mémoire fascinée les écueils qui ont menacé la vie psychique de l'enfant. Roman d'apprentissage, roman catharsis. Évelyne a passé sept années sans que sa vie, celle en famille, celle d'apprentie intellectuelle déguisée en taxi-girl pour les week-ends et les vacances, change. La prison à domicile, le chiffre de l'épreuve.

Les parents sont des grands antihéros, des marionnettes géantes, des imagos confondus et antipodiques, et nous sommes entraînés dans le récit qui fait de chaque jour le nôtre, rapetissés en poucets contraints et contrits. La captation de l'imaginaire qu'opère *Une belle éducation* provient sans doute de sa forme qui conjoint l'intime et le conte traditionnel.

Quel que soit notre âge, et par-delà nos origines sociales, qu'une datation exacte pulvérise, nous sommes des enfants tassés contre ce mur d'incommunication que les adultes érigent. Je voudrais que des adolescents, de grands enfants, lisent *Une belle éducation*. Et quelle était-elle ? La transmission de rituels de table, de marques élémentaires de politesse, une méfiance à l'égard de l'amitié, de la connaissance, de la parole.

L'écriture de France Théoret est reconnaissable à ce devoir rendu de mémoire à la génération peu scolarisée et bien éduquée dont elle est issue, qui lui fait glisser des locutions vieillottes dans le fil d'un texte formellement explorateur. Le roman cogne au cœur comme un journal, il isole, esseule le lecteur sous une cloche qu'il partage avec la narratrice, comme une légende qui le confronte à sa propre croissance entravée, exaltante et effrayante. Roman d'autocritique aussi, libérée, en voie de l'être de l'examen de conscience, où l'essayiste se réunit à sa voix d'enfance dans l'autofiction. Un grand Théoret, dont je veux avoir écrit avec suffisamment de conviction et de clarté pour que nous le lisions et relisions, prolixes de commentaires sensés et d'abord capables du silence de gratitude que procure une œuvre forte. Et qu'on le traduise, et qu'il voyage loin.

Diane-Ischa Ross

Madeleine Ouellette-Michalska
L'apprentissage
XYZ Éditeur, 2006, 134 p.

Ça prenait l'habileté et l'expérience de l'auteure pour pondre un roman, portant sur l'acte d'écrire avec une telle originalité et un ton évocateur. On sent d'ailleurs une intention chez elle d'aller à l'essentiel, comme s'il s'agissait d'un testament littéraire. L'intériorité qui la caractérise est renforcée par une économie de moyens et une certaine pudeur qui se manifestent à travers le choix des mots qui élimine la surcharge et l'inutilité, et certains personnages qui ne sont pas identifiés par leurs noms.

Le récit tourne autour du désir d'une fillette de devenir écrivaine. Cette réflexion sur l'écriture prend ses racines dans le souvenir d'enfance qui justifie l'auteure de conserver un regard éternellement neuf sur la vie. Incidemment, la nostalgie n'occupe pas une place prépondérante dans cet univers où le passé n'est pas toujours associé à des événements euphoriques et où le quotidien flirte souvent avec la banalité, surtout dans des contextes familiaux.

L'écriture occupe une fonction thérapeutique et initiatique du fait qu'elle est reliée à l'apprentissage de la vie et qu'elle observe une logique linéaire qui rend compte de différentes phases de l'existence de l'héroïne en adoptant une perspective chronologique. L'écriture remplit deux fonctions : elle sert de prétexte à la narratrice pour se raconter et elle constitue un objectif en soi. Ce procédé est fidèle au style de l'auteure. Il donne également au récit une dimension épistolaire intéressante.

L'écriture est tout d'abord associée à l'enfance pour la relation que cette dernière entretient avec l'acquisition du langage, transmis par la mère, première figure féminine à légitimer la prise de parole de la femme dans cet univers, le père étant davantage associé à la langue anglaise (par ses contacts) et au silence. Il est difficile de ne pas identifier la mère au processus de création lorsque l'auteure recourt au mot « narratrice » pour l'identifier :

> Dans la dure étendue de l'hiver où tout se perd dans la blancheur du paysage, l'enfant ne quitte pas la narratrice des yeux. La solennité du récit crée des décors somptueux, élargit la cuisine au plafond bas où une pleine lumière n'entre jamais. Un détail, la grâce ou l'imperfection notée paraissent contenir toute la beauté et la vérité du monde. L'enfant s'accroche aux mots de la mère comme à quelque chose de primordial. Cette voix semble détenir le secret de chaque voix, de chaque vie qu'elle-même pourrait imaginer. (p. 31)

Le premier chapitre se donne comme objectif de rendre compte de l'éveil à l'écriture qui est surtout orienté vers la simple reproduction de la réalité. Le regard de l'enfance, qui se rapporte autant à la spontanéité des gestes de la vie courante qu'à l'acte d'écrire, donne à ce dernier une dimension ludique qui est présente tout au long du roman. On constate que le rapport aux mots intègre déjà la notion de plaisir.

Le passage à l'adolescence et son rapport à l'écriture amènent la réflexion à un niveau plus approfondi et fait ressortir la relation entre femmes de générations différentes à travers le souvenir de grands-mères décédées. Le rôle de ces dernières dans le récit se confine à la transmission du savoir et au désir d'écrire : « Tout son attachement va à l'autre grand-mère, la seule qu'elle ait connue et aimée : Clara en train de méditer, Clara occupée à penser, à lire ou à écrire dans sa grande maison blanche du village » (p. 55). On a l'impression que c'est ici que la démarche d'écriture prend tout son sens, par l'élaboration d'une réflexion sur la condition féminine qui en est encore à un stade embryonnaire. Il s'instaure une autre philosophie de l'écriture dont la fonction est désormais de transformer l'existence plutôt que la reproduire : « Rehausser des vies banales, transformer des existences en fiction heureuse ou tragique embellit sa vie. » (p. 56)

Avant même d'aborder les aspects touchant l'âge adulte et la maturité, l'auteure effleure la question de la mort, plus spécialement celle du père, qui suscite un rapprochement entre le père et la fille et permet déjà sinon d'exorcise la mort, du moins de l'apprivoiser en la considérant comme elle est, c'est-à-dire une composante de la vie.

L'amour n'est pas toujours euphorique. Il est simplement à l'image de ce qui se vit dans le quotidien et amène la réflexion sur le terrain des rapports entre hommes et femmes qui prévalaient à une époque (vraisemblablement les années cinquante) où la femme était sinon soumise du moins marginalisée si elle s'écartait le moindrement de comportements sociaux prescrits. Il arrive également que l'amour entre en opposition avec le projet d'écriture, comme c'est le cas lorsque le mari de la narratrice s'oppose à ce qu'elle écrive. C'est à partir de ce fait que la réflexion sur la condition de la femme et son rapport à l'écriture devient plus évidente.

Mais le processus d'écriture s'inscrit également dans une quête d'absolu. Il est associé à un rythme, à une course contre la montre. La narratrice écrit rapidement : « Elle se met à écrire plus vite, craignant de voir fuir l'instant, sa plénitude, une jouissance que rien d'autre ne saurait remplacer. » (p. 120) Le geste d'écrire semble comporter quelque chose de physique, de passionné, et vient conjurer la monotonie du quotidien. Derrière un style modelé par une pudeur qui s'étend aux personnages se dissimule une passion pour les mots. Ce thème de l'apprentissage qui vivote entre l'écriture et l'existence reposerait-t-il sur une intention de l'auteure de suggérer qu'il y a toujours quelque chose à apprendre, à découvrir ? La liberté s'avère une valeur prédominante dans cet univers. Elle va de pair avec l'écriture et a préséance sur pratiquement tout. L'auteure privilégie le moment présent, ce qui lui permet sans doute de justifier et de réactualiser sa démarche d'écriture à chaque phase de la vie du personnage, chaque étape constituant une partie d'un tout.

Bref, ce roman est un long réquisitoire en faveur de la femme qui a l'audace d'écrire, et le dernier chapitre fait le point sur la question. Il est également prétexte à soulever les problèmes de l'altérité et des rapports amoureux. Ce livre n'a pas d'autre but que de revendiquer la prise de parole par la femme. C'est le fil conducteur du récit, bien qu'il alimente d'autres réflexions. La dénonciation se fait d'autant plus subtilement qu'elle s'effectue avec réserve et qu'elle repose sur des réflexions profondes et un ton réservé. Elle laisse les mots parler par eux-mêmes, fidèle à sa façon d'écrire. On aurait souhaité qu'elle soit plus virulente, mais sa prose, qui se rapproche davantage de la poésie par son ton évocateur, suffit à défendre les propos. Le monologue intérieur, qui fut toujours une des caractéristiques de son œuvre (où les dialogues ne sont pas légion) continue de donner à celle-ci une profondeur qui en renforce la crédibilité.

Martin Thisdale

LOUISE DUBUC
La fille de l'ouest
Leméac, 2006, 168 p.

On entre dans le roman de Louise Dubuc, *La fille de l'Ouest*, comme on s'aventure en forêt, entre chien et loup, avec inquiétude. Cette inquiétude ira en s'accroissant jusqu'à devenir une obsession, celle d'en percer le secret bien vite. Néanmoins, l'écriture fournie commande une lecture posée, au rythme du mystère qui tranquillement s'épaissit.

Dès le premier fragment, la narration s'attache à décrire amplement la scène évoquée, à en détailler l'atmosphère, le décor, les circonstances, les sensations perçues par le personnage. Qu'elle adopte différentes voix, la narration suivra ce modèle et conservera cette même densité tout le long du roman. Puisque l'énigme ne se résout vraiment qu'en fin de parcours, une telle densité ne fait qu'ajouter au poids du mystère.

Surgie de nulle part en particulier, sinon de ce trop vaste horizon plat que sont les Prairies, Geneviève, la fugueuse, semble avoir trouvé un point d'ancrage auprès de Thomas Lacroix. C'est elle, la première voix narrative, qui se charge au tout début du récit de nommer le motif de l'inquiétude, la source des dérives mystérieuses qui la troublent et qui vont troubler Thomas, Debra Jeanson, la voisine, et bien sûr, le lecteur ou la lectrice. Entre elle et Thomas désormais installés dans leur repaire campagnard, Geneviève reconnaît la présence de « l'autre », l'inconnue en elle, la trop puissante, celle qui la métamorphose en délogeant toute raison. L'inconnue se manifeste quand la nature déploie ses effluves, ses lumières changeantes, ses chants, mais aussi ses débordements, ses vents agressifs, ses hurlements.

L'irruption soudaine et régulière de « l'autre » se traduit par des grognements, des feulements, des morsures dans des proies vivantes. Lorsque, prêt à bondir à l'appel de la nature, l'animal tapi dans les entrailles de Geneviève apparaît, le lecteur est aux prises avec la même inquiétante étrangeté qui l'assaille dans *Le mangeur* de Ying Chen. Les deux romancières présentent leurs personnages sous influence sans ménagement, en insistant au fil des mots pour que le regard demeure rivé sur l'animal débridé qui tétanise momentanément la part humaine de l'être. La vision n'a rien de rassurant.

L'instinct domine et Thomas, perplexe, oscillera entre l'assimilation de cet instinct à l'intensité de la passion amoureuse ou à un possible déséquilibre psychologique, sans pousser plus avant le questionnement. Quand « l'autre » transforme Geneviève, ni Thomas ni Debra n'arrivent à quitter leur état de spectateurs figés. La mobilité et la séduisante liberté qui accompagnent ces moments de métamorphose laissent des traces au tréfonds de l'être et Geneviève opposera de moins en moins de résistance à « l'autre » qui l'envahit, d'autant plus que la nature toute proche multiplie ses appels.

Même paralysé, Thomas, la seconde voix narrative, énonce avec toujours plus de force les doutes et les peurs de l'homme ordinaire, au sens large, face à la domination de l'instinct chez cette femme d'autre part si attachante, si dépourvue de moyens en société, qu'il aime et veut protéger. Thomas exprime ses enthousiasmes, ses élans amoureux, ses doutes, ses craintes, comme tout un chacun le ferait, sur le ton de la confidence, à un intime. Il formule ce qu'un regard direct et simple sur l'inquiétante étrangeté de ce déséquilibre erratique saisit. Le futur père inquiet traduit la vision de la « normalité » sur ce qui se transformera et deviendra bientôt pour lui en l'« inadmissible ».

D'acteur principal qu'il était, Thomas devient peu à peu le commentateur désespéré du drame auquel nous a convié la romancière. Il craindra pour leur enfant que Geneviève la dédoublée porte et il ne pourra que réagir au mieux de ses moyens, avec la générosité de l'amour, mais aussi la conscience de l'inadmissible et des limites à poser. Il renouera avec les valeurs et les attitudes du monde rassurant de son enfance, auquel se rattache sa mère, Constance, longtemps délaissée et redevenue son alliée dans les circonstances, un monde soumis aux lois de la normalité et des règles qui balisent les parcours de vie. Ce monde organise ses vérités et, à l'instar de Constance, absout les fautes inconcevables ou inexpliquées en accordant le pardon aveugle de la religion.

La troisième voix qui porte sporadiquement la narration est celle de Debra Jeanson, la voisine qui observe tout depuis la galerie de sa maison mobile. Elle se fait le porte-parole d'un autre regard, le regard de la marge, mais aussi le regard trait d'union par lequel il est possible d'admettre qu'il y ait soumission à une influence. C'est la voix alternative. Avec elle s'énoncent une autre explication du monde, une autre conception de la normalité. Debra interprète les agissements inquiétants de Geneviève selon la perspective amérindienne qui assimile l'homme à la nature et n'en fait pas le dominateur mais un élément de celle-ci, à l'instar des animaux, avec ses habiletés et ses vulnérabilités.

En ce sens, il est possible que l'être fragile ou fragilisé soit subjugué par lesdits esprits. L'animal ou l'homme rendu vulnérable, pour une raison ou une autre, finit par s'isoler du groupe et trouve en danger. Geneviève, l'envoûtée, est en danger. Même si ce regard permettra à Debra de tenter de soustraire Geneviève à l'influence des esprits et d'intervenir in extremis pour sauver le nouveau-né, il n'explique pas tout. Il ouvre sur une autre vision du monde capable d'offrir un meilleur accompagnement à l'être sensible, alors que le regard dubitatif de Thomas n'a pu à lui seul l'aider à secourir l'aimée.

Dans la logique du récit, le regard amérindien suggère une métaphore qui, elle, introduit l'explication finale du mystère et sous-tend la « morale de l'histoire ».

Dans un monde centré sur l'humain, les hommes en viennent à reproduire le monde animal : l'animal blessé est condamné à s'éloigner de la meute et à errer. L'exclusion ou la réclusion frappent le dissemblable, l'atteint. De toute manière, on l'écarte. Certes, Geneviève constitue désormais une menace à éloigner, mais c'est dans ce même monde des humains qu'on l'a traitée, alors qu'elle n'était qu'une enfant, comme un animal. Et cela, parce qu'elle s'avérait indésirable dans l'ordre de ce monde. Or, tout affront fait à l'enfance est suffisamment puissant pour qu'un être bascule hors de toute rationalité et se livre à l'instinct, à sa part animale.

Ce sont des hommes et des femmes qui provoquent souvent cette chute dans la déraison. Pour Geneviève, « la laissée pour compte » (p. 81), le monde animal est le monde des humains qui l'ont maltraitée à tel point que le souvenir de ce mauvais traitement est demeuré enfoui dans sa mémoire et qu'elle oubliera tout souvenir de ses propres gestes assassins. Ancienne victime qui s'ignore, elle est attirée par le monde animal, car il ne la rejette pas. Cependant, il l'effraie aussi. Comme dans le cas des envoûtés des romans antérieurs d'Andrée A. Michaud – je pense surtout au personnage principal du *Pendu de Trempe* – la mémoire enrayée de l'enfant captive, de la petite recluse terrorisée, la maintient dans l'inconfort de l'entre-deux-mondes.

> Dans la nuit naissante, Debra avait entendu un chant guttural, une mélopée troublante, la complainte d'une bête égarée dans le délire des hommes. Je chantais et les coyotes hurlaient ; ma voix, puissante, s'était jointe aux cris de la meute : une coyote rousse réclamait sa pitance et la paix de son âme aux cieux. (p. 72)

Le roman de Louise Dubuc pose la question de la responsabilité de l'homme et de sa lâcheté déguisée. La quatrième de couverture, elle, suggère qu'on y parle d'échec d'une tentative de domestication de la bête humaine. Au contraire, le roman propose un cas de réussite totale d'un mauvais traitement imposé à une enfant : il est parvenu à dénaturer un être humain.

Le roman mérite la lecture. L'écriture, belle et précise, la teneur en mystère, le propos incisif et pertinent, justifient très nettement la nécessité de l'œuvre. Seul un aspect bien secondaire revêt un caractère artificiel dans le récit et soulève ainsi une question : fallait-il qu'il y ait un lien, même ténu, même s'il n'est que suggéré, entre Harry, le défunt mari de Debra, originaire de l'Ouest lui aussi, et Geneviève ? Peut-être que la portée de cette suggestion m'a échappée.

Hélène Lépine

MOEBIUS

monique chartré

gilles cyr

pierre desruisseaux

raoul duguay

michel lemay

claude provencher

jacques renaud

francine trudeau

1

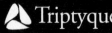

Sylvain Campeau
planète, organes
poésie, 96 p., 17 $

Dans la lueur des aubes multiples, des membres s'éveillent. Composent le corps à son lever. En celui-ci, chaque organe agité est l'astre de fonctions essentielles.
Mais ce corps, savons-nous toujours l'habiter ? Serons-nous encore saisis par sa prochaine révolution ?

Michel Côté
Jouer dans l'être
poésie, 81 p., 17 $

La vie est prévisible.
À l'image du commencement, la fin écrit le premier poème.
Les mots anciens nous échoient. Les autres, en liberté, prennent tout leur temps, notre naissance en eux. Ainsi les résidents du poème habitent la condition des infinis.

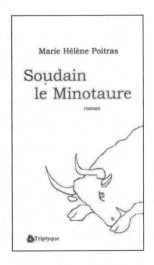

Marie Hélène Poitras
Soudain le Minotaure
roman, 145 p., 13 $

Novembre, un soir de neige et de violence. Dans un appartement de Montréal, une rencontre qui n'aurait jamais dû avoir lieu. Le quotidien bouleversé par l'arrivée d'un être venu apporter la peur en cadeau.

Quelques mois plus tard, depuis le fond de sa cellule, Mino Torrès décharge son fiel. Quant à Ariane, c'est entre Munich et Berlin qu'elle renoue avec ses sens.

Deux versions complémentaires d'un brusque corps à corps.

Patrick Boulanger
Les restes de MURIEL
roman, 97 p., 17 $

Dans un appartement devenu trop grand, un homme laisse traîner son nez comme un escargot contre la vitre. Les yeux creux, la barbe longue, il cherche la pluie et les raisons qui ont poussé Muriel à le quitter. Il y avait six ans que Muriel et Marc vivaient ensemble; Bien sûr, tout n'était pas rose; il y avait parfois des querelles, de petites gifles, mais rien de sérieux. Roman baroque, intense et coloré, *Les restes de Muriel* aborde les thèmes de l'amour et de la violence.

Véronique Bessens
Contes du temps qui passe
nouvelles, 137 p., 18 $

Différents personnages tentent de concilier leur volonté de participer pleinement au monde et leur difficulté de s'adapter aux imprévus du quotidien. Leur quête d'une solution ou d'une échappatoire témoigne en fait d'un désir profond de trouver l'équilibre qui permettrait de faire face aux aléas de la vie et de lutter contre le temps qui passe. Tantôt avec humour, tantôt avec désespoir, ces nouvelles racontent les tuiles et les roses qui nous tombent dessus au moment où nous nous y attendons le moins.

Gaston Théberge
Béatrice, Québec 1918
roman, 192 p., 19 $

Québec, 1918 : l'annonce de la conscription vient de retentir, et voilà que frappe l'épidémie de grippe espagnole. Antoinette, treize ans, enjouée et curieuse, raconte cet épisode mouvementé. Des décennies plus tard, le recul lui confère un regard de survivante. S'entremêlent ainsi avec aisance des souvenirs encore palpables, nourris de réflexions sur l'emprise de la guerre... Mais Toinette se sent impuissante devant l'œuvre de Dieu et celle des gouvernements; elle craint de perdre sa sœur Béatrice aux griffes de la maladie.

Gaétan Lebœuf
Bébé
et bien d'autres qui s'évadent
roman, 280 p., 23 $

Penchée sur son cahier, Alice se raconte. Tout commence par un étrange revers de fortune. Après avoir perdu du même coup sa mère et sa belle-mère dans un accident de la route, Alice rompt avec René, le papa du fœtus opiniâtre et émancipé qu'elle porte dans son ventre. Ce drame aurait pu l'anéantir si ce n'avait été de Bébé… et des autres: Emma, Ben, Hok, Mohi, l'équipe éblouissante et singulière du restaurant végétarien où elle travaille.

Pierre Manseau
Ragueneau le Sauvage
roman, 257 p., 22 $

Entre Ragueneau et Nicolas Bourgault se noue une relation complexe et ambiguë, tiraillée entre l'amour sans bornes de l'un et l'amitié traîtresse de l'autre. Le beau «Sauvage» du bord du fleuve en fera voir de toutes les couleurs au «Visage-Pâle» qui l'accueille à Montréal dans son modeste appartement. Et pendant que l'un se noie dans l'alcool, l'autre trouve dans l'écriture la rédemption d'un amour autrement incompréhensible.

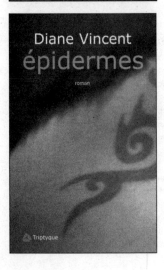

Diane Vincent
épidermes
roman, 207 p., 20 $

Il est flic et passionné par son travail, elle est masseuse et fascinée par la peau. Un dégoûtant bout de chair humaine trouvé dans une poche de manteau les porte à conjuguer leur expertise. Du membre au cadavre et du cadavre au meurtrier, Vincent et Josette se perdent, cherchent et se retrouvent entre des marchands d'art, des promoteurs de belle chair bien huilée, des pourvoyeurs de stéroïdes ou des dealers de cocaïne, sans oublier la célèbre photographe nippo-américaine, star inconsciente de cette mystérieuse constellation.

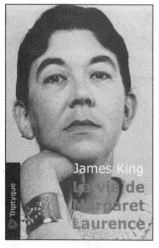

James King
La vie de Margaret Laurence
biographie, 397 p., 30 $
traduit de l'anglais par Lynn Diamond

Auteure de renommée internationale, Margaret Laurence (1926-1987) a créé les personnages féminins les plus marquants de la littérature canadienne. Dans cette biographie très fouillée, James King nous fait découvrir une femme complexe qui, dans les années 50 et 60, sut lutter pour exister comme écrivaine, épouse et mère. Elle est également connue comme la créatrice de l'inoubliable Rachel, héroïne interprétée par Joanne Woodward dans le film *Rachel, Rachel* réalisé par Paul Newman.

Claire-Marie Clozel
Pourquoi les petits garçons ne sont pas des petites filles...
Un secret bien gatdé
essai, 192 p., 20 $

Peut-être vous êtes-vous déjà demandé pourquoi les petits garçons, même quand on leur offre des poupées, préfèrent généralement les camions et pourquoi la plupart des petites filles sont à ce point séduites par Barbie! Ou pourquoi il y a plus de filles dans le domaine des lettres et plus de garçons dans les sciences «pures». Et si, dès le départ, les petits garçons n'étaient pas différents des petites filles ?

Jean Forest
Pamphlet pour les décrocheurs
essai, 92 p., 16 $

Ce pamphlet connaît sa cible : le ministère de l'Éducation et les enseignants qui le légitiment et le perpétuent. Pourquoi les jeunes décrochent-ils à qui mieux mieux d'un réseau ou système qui veut les former, les instruire, les éduquer ? Pourquoi l'école n'arrive-t-elle pas à être le riche terreau de vie qu'elle pourrait être pour les jeunes ? Selon l'auteur, c'est le rapport à la langue qui est à revoir de fond en comble.

Brèves

LITTÉRAIRES

Revue de textes brefs :
prose, poésie, essai,
d'une langue à l'autre (bilingue),
l'effeuilleur (section critique).

Parution trois fois l'an
Membre de la SODEP

Prose
Ginette BERNATCHEZ
Céline CYR
Monique JOACHIM
Diane LANDRY
Carole LEROY
Grégoire MABILLE
Claudine PAQUET
Suzanne PARÉ
France RENAUD
Bruno VALLÉE
Jean-Baptiste VÉBER
Marité VILLENEUVE
Adam ZIELINSKI

Essai
Andrée DAHAN et Louise DESCHÊNES
Adriano MARTENDAL

Poésie
Louise DESCHÊNES
Michel LÉTOURNEAU
Irina LISNIANSKAYA
Jean LOUBRY
Irina MACHINSKAYA
Mara MALANOVA
Danyelle MORIN
Sonia-Marie PELLETIER
Michel PLEAU
Polina SLOUTSKINA
Olga SOULTCHINSKAYA
Séda VERMICHEVA

D'une langue à l'autre
Flavia GARCIA
Veronica BALAJ

L'effeuilleur (commentaires de lecture)
Patrick COPPENS et SDM
Carole LEROY
Lucy PAGÉ
Jean-Pierre PELLETIER

Illustration : Ariane Dubois

hiver 2007 - numéro 75

Bulletin d'abonnement

	1 an/3 n^{os}	2 ans/6 n^{os}
Régulier	35 $	60 $
Institution	50 $	90 $
Étranger	50 $	90 $

En kiosque : 14 $ le numéro

Je désire m'abonner à Brèves littéraires _____ me réabonner _____

à partir du numéro en cours _____ ou du numéro _____

Nom _____ Prénom _____

Adresse _____

Ville (province) _____

Code postal _____ Téléphone (_____) _____

Courriel _____

Ci-joint, la somme de _____ $ pour 3 n^{os} _____ 6 n^{os} _____

Les mandats et les chèques doivent être adressés à : *Brèves littéraires*
397, boul. des Prairies, bureau 300, Laval (Québec) H7N 2W6
Téléphone : (450) 978-7669 • Télécopieur : (450) 978-7033
courriel : breves@bellnet.ca

LE POÈME EN REVUE

BULLETIN
D'ABONNEMENT

ABONNEMENT
pour cinq (5) numéros par année
toutes taxes incluses

TARIF
au numéro : 11,50 $

ABONNEMENT
régulier 41,41 $ ☐ / à l'étranger 51,76 $
transport inclus

NOM :

adresse :

code postal :

téléphone :

télécopieur :

courriel :

veuillez m'abonner à partir du numéro :

CP 48774, Outremont (Québec) H2V 4V1

COURRIEL / administration@estuaire-poesie.com
SITE \ www.estuaire-poesie.com

MŒBIUS

ÉCRITURES / LITTÉRATURE

Tarifs d'abonnement (taxes incluses)
4 numéros / année

| Individu: | au Canada | 1 an: 30 $ | 2 ans: 55 $ |
| | à l'étranger | 1 an: 50 $ | 2 ans: 95 $ |

| Institution: | au Canada | 1 an: 55 $ | 2 ans: 100 $ |
| | à l'étranger | 1 an: 90 $ | 2 ans: 170 $ |

La collection complète (environ 95 numéros):
- au Canada   individu: 200 $
                institution: 250 $
- à l'étranger   individu: 225 $
                institution: 275 $

La collection complète et un abonnement d'un an:
- au Canada   individu: 225 $
                institution: 300 $
- à l'étranger   individu: 265 $
                institution: 360 $

Adressez votre chèque ou mandat-poste au nom de:
MŒBIUS
2200, rue Marie-Anne Est
Montréal (Québec)
H2H 1N1
Tél. et téléc.: (514) 597-1666
Courriel: triptyque@editiontriptyque.com
Site Web: www.triptyque.qc.ca

Nom _____

Adresse_____

Tél. :_____

Je m'abonne à partir du numéro _____

Je désire recevoir la collection complète   ❑

Je désire recevoir la collection complète
et un abonnement d'un an   ❑

ex revue de poésie **it**
